さくら

西 加奈子

さくら

もくじ

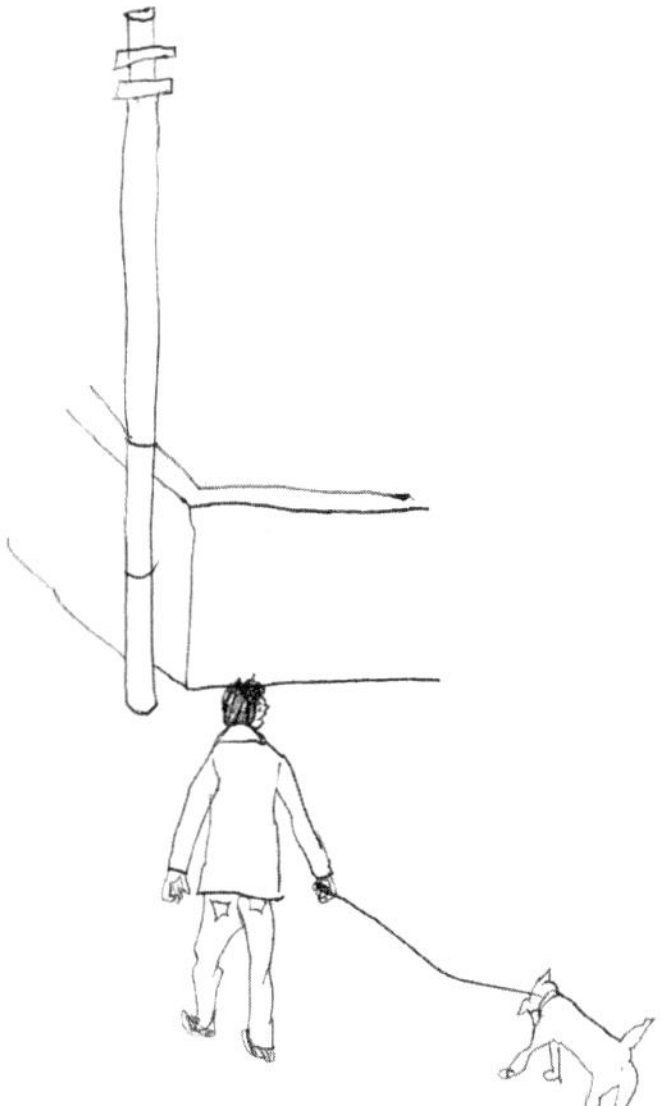

装幀　川村哲司
装画　奥原しんこ

はじまりの章

つぼみ

僕の手には今、一枚の広告がある。

色の褪《あ》せたバナナの、陰鬱《いんうつ》な黄色。折りたたみ自転車の、なんだか胡散臭《うさんくさ》いブルー。そして何かの肉の、その嫌らしい赤と、脂肪の濁った白。

なんてことはない、それはただの広告だ。

手に取るとつるつると光っていて、でも滑らかな、という手触りでもない。「ぴかぴかに磨いているけど古臭い車」という感じ。違うか、「もったいぶってるけど実は安いお皿」、いや何でもいい。とにかくそれは、ただの広告。

「レトルト食品二割引」

「当店は年末年始も休まず営業します！」

「消費税五％還元セール！」

「お正月の準備は万全ですか？」

僕が何故《なぜ》そんなものを繁々と見つめているかというと、その答えは裏側にある。

よく見ると、薄く文字が見える。

油性のマジックでやっと耐えうるそいつに、あろうことかHくらいの薄さの鉛筆書きだ。光の当て具合で文字が見えたり見えなかったり、しかも書いている本人の筆圧の具合で、ほとんど読めないところもある。それでも苦労して解読していると、例えば
「寒椿《かんつばき》が綺麗《きれい》ですね。赤いのはよく見ますが白いのは……」

あとは
「自分で梅酒を作ってみました。作り方は……」

つまり相当他愛が無い。

でもまるで、それが重大な化学式であるかのように、世界をゆるがす預言書であるかのように書き綴《つづ》られていて、いやそれは大げさ、ただ書き手は、表同様空間を埋めることだけに腐心しているみたいだ。小さな小さな文字でびっしりと書かれてある。ちょっと右肩あがりのその文字は、僕にはとても懐かしいものだ。僕に字を教えたときの、あの字。

それは父さんからの、二年ぶりの手紙だった。


その日僕は久しぶりに彼女に会って、久しぶりだったのに、何だかつまらないことで気まずくなって（彼女が楽しみにしてるドラマを僕がけなした）、なんとなく嫌な気持ちのまま深夜家へ帰ると、ポストに手紙が入っていた。

僕の家は美竹荘といって、でも全然竹の青の清々《すがすが》しさや、まっすぐ伸びたそれの凛《りん》とした美しさは無い。どちらかというと鉄の錆《さ》びた赤茶色やどこからか飛んできた煤《すす》の灰色で、小さいけれど寂れた鉄板工場のような趣。きっと大家が竹田とかそんな名前なんだろうと思って挨拶《あいさつ》に行ったら大久保さんで、何だかいまいちよく分らない住まいだ。ポストは玄関に共同になっていて、それぞれ自分宛《あて》の手紙を取って行く仕組み、

「プライバシーが無い。」

と彼女が怒っていたけど、僕は別に人に見られて困るものなんて無いので平気だ。

さて大抵僕宛の手紙はガス・水道・電気の公共料金、母親からの桜色の封筒（裏に「おかあさん」、封筒を開けるところに「つぼみ」と書いてあるのが恥ずかしい）、後は大学から来る出席日数が足りてないぜ、卒業やばいぜ的なおどしの手紙だ。

だから、

「　長谷川　薫　様　」

汚い、明らかに男の字で書かれた茶色い封筒を見つけたときは、自分宛のものだと分るのに少し時間がかかった。

部屋に入る前に封筒の裏を見たのだけど、見た途端、しゃっくりが止まらなくなった。驚いたとき、よく出るのだ。

差出人は

「　長谷川　昭夫　」

そこにはしっかり「つぼみ」と書いてあって、そう、そのうえ文面の最後にこうあった。

「年末、家に帰ります。　　おとうさん」

しゃっくりが止まった。驚きすぎると止まるのだ。

年末は彼女と過ごすことになっていた。特別何をするというわけでも無いけど、

「どうしても一緒に新しい年を迎えたい。」

と言う。別にすることも無いし、最近彼女が髪型を変えて、それが結構気に入ってるので「いいよ。」と言っておいた。それでも手紙を読んだ途端、彼女への言い訳をすでに考えている自分が、すごく情けなかった。

「君の髪の様子がすごく気に入ったから、僕も変えたくなった。いや信頼できる床屋が実家にしかないんだ。何しろこんな小さいときからずうっと僕の髪を触っているからね。」

「君が嫌だと言うからこんな風に喋《しゃべ》るけどね、ほら、僕本当は関西弁なんだ。久しぶりに故郷の言葉を思い切り話したくなって！　まいどまいどー！」

散々考えた挙句、自転車の鍵《かぎ》を取りながら思いついたのが、これだ。

「飼ってる犬に逢《あ》いたくなった。」

僕の犬の名前は、サクラという。

白に黒ぶちの雑種で、中型の掃除機くらいの大きさ、足元が黒くて長靴を履いているみたいに

見える。鼻の頭にもそばかすみたいな黒い斑点《はんてん》がついていて、お世辞にも素敵な犬とはいえない。一応女の子だけど、サクラという名前を言わない限り、皆オス犬だと思うような冴《さ》えない風貌《ふうぼう》で、でも僕は、首根っこを後ろ足で掻《か》くときの優しい仕草とか、土の匂《にお》いを嗅《か》ぎながらゆっくりと移動する不遜《ふそん》な態度とか、それはまるで人間の女の子みたいな、たおやかで、儚《はかな》くて、それでいて力強いものを感じさせて好きだ。

今年で十二歳、犬にしたらかなりのおばあちゃんだ。

言い訳として考えたことだけど、一度サクラのことを思い出すと、もうそれ以外考えられなくなった。サクラのちょっと硬い背中の毛、僕の手を優しく押す肉球、走り出すときの後ろ足の筋肉、そんなことを考えていると、いてもたってもいられなくなった。

サクラに会わなければ！

それはもう、僕の使命みたいになった。

「歯の噛《か》み合せなのよね、結局。普通に噛んでると思ってても、やっぱりずれてるのよ、人間。若いうちはいいわよ、体力もあるしどれだけ重いもの持ったって、ねぇ。あたしだって昔は、重いスキー板かついでよく旅行行ったのよ。でもそれがあたしたちみたいに四十年も五十年も同じ歯で噛んでてみなさいよ、そりゃガタがくるわよぉ。」

年末の新幹線は乗車率二〇〇％、それはつまり東京から大阪まで約三時間、知らない人と体をぴたりとくっつけていないといけないということだ。

早速気分が悪くなった僕がトイレの順番待ちをしていると、洗面台のところでおばさんがふたり話し込んでいた。新幹線が揺れるたびにお互いの肩にしがみついているけど、どちらもふらふらしているので、あまり意味が無い。

「だからね、あなたもリュックかつげないとか腕があがらないとか言ってるのは、五十肩なんかじゃないの、歯の嚙み合せなのよ。」

「あたし、まだ親知らず生えてるの。」

「親知らず!? 駄目駄目、駄目よぉ。親が知らないどころか、もう死んじゃってるじゃない。」

「あたしまだ父は生きてるんだけど。」

「一番大切なのは奥歯よ。奥歯ががっちりと嚙み合ってさえいれば、背骨もまっすぐになるし、肩こりも取れるし。親知らず何本あるの?」

「全部あるのよ。」

「駄目駄目、駄目よぉ。あれは人間にいらない歯なのよ、尻尾《しっぽ》と同じなの。そんなのがあったら奥歯ががっちりと嚙み合わないじゃない。」

「でも、抜くのって痛いんでしょう?」

「やだあなた、三人も産んどいて痛いもくそも無いわよ。」

「四人よ。」

「あんなの子供産むのに比べたらへそのゴマ取るのと一緒よぉ。」

「へそのゴマ。」

「へそのゴマ。」

やっと空いたトイレに入って、ひとしきりゲロを吐いた。微妙な横揺れと独特の狭さ、長いこと使ってなかった炊飯器を開けたときみたいな匂いがますます僕の胃を活発に動かして、今朝食べたクリームパンだとかドリトスがさらさらと便器の中に消えて行く。吐くのはそう苦労しない。飲みに行っても少し気持ち悪くなると指をつっこんで吐くし、食べ過ぎたときも吐く。友達は拒食症じゃないの？なんて心配するけど、何のことは無い。自分の気持ちを持ち直すための儀式みたいなものだ。胃の中のものを全部吐き出すと、何か今までの自分をリセット出来る気がするのだ。出来ることなら胃やら腸やら食道をごしごしとブラシでこすりたいけど、それが出来ないから吐く。最近彼女が腸内洗浄というものがあるらしいよ、という耳よりな情報を持ってきてくれて、しかも一緒に行ってくれたらお金を出す、なんて可愛らしいことまで言っていたのだけど、今回の年末帰郷でお怒りなので、水の泡になってしまいそうだ。結局「犬に逢いたい」は通用しなかった。ひとしきり文句を言った彼女は、最後には涙目で、

「ねぇ、あたしと犬とどっちが大切なの？」

というちょっと厄介なことを言い出したから、僕は黙り込んでしまった。失礼な話、頭の中でサクラと遊ぶ正月と彼女と過ごす正月を比べて、そりゃもう、断然サクラだぜ！　そう思ってい

たのだけど、さすがにそれは言えなかった。散々もめて、年明けに新しいバッグを買ってあげることでケリがついた。僕は貯金が出来ない。

「普通に噛んでると思ってても、やっぱりずれてるのよ、人間。」

僕がトイレから出ても、おばさんたちはまだその話をしていた。「駄目駄目、駄目よぉ。」のおばさんは、それはそれは熱心に歯の治療を勧めている。手を洗おうとふたりの間を掻き分けたとき、ちらりと僕の方を見たけど、すぐに自分達の話に戻ってしまった。

「だって嫌でしょう、あなた。入れ歯とか。」

「ええ、そうねぇ。」

「入れてるのよ、歯を。」

「はめてるんでしょう?」

「入れ歯なんて、ねぇ。」

ハンカチを探そうとポケットを探ったら、かさかさと紙の手触りがした。

「バナナとか豆腐とか、そうゆう柔らかいものしか食べられなくなるのよ。」

そういえば僕のポケットには、あの、色の褪せたバナナが横たわっている。

「嫌ねそれは。あたしバナナ嫌いなのよ。」

新幹線は僕らの感情などお構いなしで、畑やビルの間をかっとばしていく。まるで面倒くさい何かを振り払おうとしてるみたいだ。結局大阪に着くまで、僕は一度も席に座れなかった。

白内障

僕の家は郊外の新興住宅地にある。「新興」なんていっても、十年二十年たってもずっと「ニュータウン」であり続ける、何となく寂しい、古びた町だ。そんなに長い歴史があるわけじゃないから、人情のようなくすぐったいものは無いし、かといって隣近所には十年来の知り合いが住んでいるから、全くの乾いた付き合いというわけでも無い。お互い飼っている犬の名前は知っているし、子供が何年生くらいかなんてことは知っているけど、僕の家に三年ほど前から父親がいないのは、離婚したか、長い出張に出ているか、とにかくそれぐらいの認識しかされていない。

久しぶりの家は、昔よりも少しだけ小さく見えた。

飾られている花がミイラみたいに枯れていたり、かと思えば驚くほど鮮やかな色彩を発しているものがあったりでバランスが悪い。表札も木ではなく大理石のような妙にぴかぴかと光るものになっていて、周りの風景から浮いているから、居心地が悪そうだ。変な言い方だけど、小さいサイズの服を着せられている家、そんな感じ。

門を開けると申し訳程度の階段があって、そのまま玄関になる。サクラの犬小屋は玄関の前を通り抜け、家の横をぐるりと半周した裏庭にあった。そのまま家に入って行くのも何となく気が向かないので、僕はサクラに会いに行くことにした。

家の横の細い道を通りながら、「サクラ」と呼びかけるけれど、姿を現さない。いつもなら名前を呼ぶと、どこからともなく現れて、「お呼び？」なんて尻尾を振ったものだ。

サクラの名を呼びながら庭の方へ廻《まわ》ると、母さんが庭仕事をしていた。こちらに背を向けてしゃがんでいる。また、随分と太った。腰のあたりに肉が乗って、その肉の重みに耐えかねたように、尻《しり》がほぼ地面についている。曲げた足首にまで肉がまとわりついていて、そのおかげで足が随分小さく見える。頭から足まで一切のくびれがない、それどころか大きく広がっているその姿は、何かに似ている。ぽってりとした洋酒のボトル、調理寸前の蕪《かぶ》、ハロウィンのかぼちゃ。

僕は声をかけ損なって、かけ損なってから困って、ただただ黙って、母さんの動くのを見ていた。母さんの影は西日で僕の方にぺたりと伸びている。声をかける代わりにその影を何度か足でつついてみるけど、母さんはそれには全く気付かず、肩で息をしながら必死で何かをしている。

結局五分ほどが過ぎて、ちょっと途方にくれかけたとき、母さんはやっと振り返った。

後姿のときから気付いていたけど、頭に変な花柄のバンダナを巻いている。そして振り返ったから気付いたけど、母さんはその花と同じくらい真っ赤なほっぺたをしている。夕方の逆光で少し見えにくいけど、どうやらにっこりと笑った。

「おかえり！」

「うん。」

お互いそれ以上言葉が続かなくて、なんとなく黙っていた。母さんは言葉を捜しているみたいに、土にまみれた軍手をはずしたり、はめたりしている。母さんの影がもぞもぞと動いて、今度はお返しに僕をつついているみたいだ。

「えーと、サクラは？」

「サクラ！」僕がのけぞってしまうほど大きな声だった。「あの子、最近ずっとあそこやねん。」

母さんはちょっとほっとしたみたいに、僕らが小さな頃乗っていた自転車が三台ほど停まっているあたりを指さした。

最初は垂れ下がった自転車カバーで見えなかったけど、よく見ると、ミキの赤い自転車の下にサクラの足が見える。僕があれほど焦がれた可愛らしい肉球が、無防備にこちらを向いていた。

「寒いやろうに。犬小屋の方が、あったかいんとちゃうの？」

「うーん、でも、自転車のカバーが風除《かぜよ》けになってて、結構あったかいみたいやねん。あ、サクラ、耳えらい遠なってるから、近くまで行って、そおっと体にさわってやらな気ぃ付かんよ。」

母さんはこんなに寒いのに汗をかいている。うっすらとじゃない、それはもう、夏の盛りに全力で走ったときみたい、滝のような汗だ。軍手で拭《ふ》いてしまうから、母さんの顔はみるみる黒くなる。

サクラの方に歩いていくと、母さんが後ろから

「そおっとやで！」

と言った。

「サクラ。」

僕が呼んでも、サクラは起きない。死んだみたいに、口をだらりと開けて寝ている。少し不安になったけど、サクラの胸が、柔らかく上下していることで気を取り直して、もう一度その名を呼んだ。サクラはそれでも起きなかった。

僕が乱暴にお腹《なか》に触って、それでやっと起きたサクラは最初、条件反射のように尻尾を振っていた。でも僕の匂いを嗅いで、それが嗅ぎなれた匂いだと分かると、嬉《うれ》しそうに尻尾を振った。サクラの両目は白内障で真っ白になっていて、おそらく僕のことも、おぼろげにしか見えていないのだろう。それでも、頭を僕の膝《ひざ》にすりつけてきた。

「お前、僕のこと、分ってんのか？」

犬は人間より早く年を取るというけど、急激に年老いてしまったサクラが哀れに思えて、頭やお腹、足をぐしゃぐしゃと撫《な》でてやった。サクラは、強く撫でられて気持ちがいいのか、

「そこそこ。」

という感じに、体をくねらせる。後ろ足の付け根などを撫でてやると、歯をむき出して体を震わせるけど、その顔があまりに不細工なので僕は笑ってしまった。

「サクラ、女の子やろが。」

そんな僕の言葉にも、尻尾を振って応《こた》える。サクラは、随分痩《や》せた。

母さんが時折、作業の手を止めて、ふうふうと荒い息をしていた。新しい土のいい匂いがして、花梨《かりん》の葉っぱが大げさな音を立てて落ちる。

「お父さんが、帰ってきはったよ！」

母さんはまだ、笑っているのだろうか。

ペディキュア

家の中は昔とそれほど変わっていなかったけど、テレビが最新型の大きなフラットテレビになっていた。テレビの上に、家族の写真が飾ってある。毎年庭が一番美しい季節、それは初夏で、家族皆庭に出て記念写真を撮った。セルフタイマーで撮るのだけど、サクラがどうしてもカメラを見てじっとしてくれない。たまにカメラを見ているから成功だと思ったら、シャッターが切れる瞬間僕らの方を向いてしまうので、皆で大笑いした。そうゆうわけで僕らの記念写真はいつだって、サクラがぶれているか、そっぽを向いていて、人間どもはというと皆ぐちゃぐちゃの顔なのだった。

ソファにミキが座って、足にマニキュアを塗っている。ペディキュアってやつだ。僕の彼女もひどくキラキラしたそれを足につけているけど、小指の爪《つめ》がつぶれているから、結構無残だ。

「おかえり。」

顔を上げないけど、ミキはまた随分と綺麗になったみたいだ。白い足に真っ赤なペディキュアをしていて、小指からべっとりとはみ出している。赤すぎる赤だ。

「ただいま。」

リュックを背負ったまま何となくそこに立っていると、ミキが初めてこっちを見た。ちっとも笑わないけど、やっぱりとても綺麗な顔をしている。「アーモンド型」とゆう表現がしっくりくる目、すうっと通った、少し鷲鼻《わしばな》の鼻。でもミキの顔で一番魅力的なのが口だ。海に投げ出された真っ赤な浮き輪みたいな、つやつやとはちきれそうなそれは、口角がいつもきゅっとあがっていて、

「ええよ、許してあげる。」

そんな風なことを言うのがきっと似合う。髪の毛を随分短く切っていて、まるで男の子みたいだけど、それもコケティッシュな魅力がある。

妹の顔を熱心に分析している兄を訝《いぶか》しげに見て、ミキはマニキュアの蓋《ふた》を閉じた。

「座れへんの?」

ソファの肘掛《ひじかけ》のところには、僕が小さな頃書いた落書きが残っている。落書きといっても、マ

ジックペンで大きく「あ」と書いてあるだけ、しかも鏡に映ってるみたいに裏返しに書いてある。小さな頃、父さんに字を教えてもらった僕は、いつも「あ」を裏返しに書いた。何度教えても間違えてしまう僕に父さんは、こう言った。

「薫、自分がこれで合ってる思う、逆のこと書いてみぃ。」

それから、僕は「あ」を間違えずに書けるようになったけど、この教え方は、何となく根本的に間違っているような気がする。それから僕は、自分が正しいと思ったことの逆をしてしまうという妙な癖がついたのだ。例えば僕は「短い」という字を書くときいつも迷う。「矢」が左だっけ、「豆」が左だっけ。そして父さんの教えに従って、自分が正しいと思う逆のことをする。すると見事に間違っている。自分が正しいと思った「矢」が左の「短い」でいいのに、どうしても「豆」を左にしてしまうのだ。日常生活でもそう、コーヒーが飲みたいのに、待てよ今の僕の欲求は一瞬で、後になると変わるかもしれない。そんな風に思って緑茶なんかを買ってしまう。全然飲みたくないそれが取り出し口に落ちてきた瞬間、間違えた！　そう思うのだけど、悔しいから飲む、美味《おい》しくない。で、コーヒーを買う。何度も言うけど、僕は貯金が出来ない。

そんな僕だけど、唯一サクラを選んだときだけは、心の底から自分が正しいと思った判断をした気がする。うん、その選択は、全く間違いじゃなかった。

サクラは近所の家で初めて見たとき生後二ヵ月、五匹いた子犬の中で、一番小さくて、痩せていて、とても頼りなかった。他の四匹は僕らが見に行くと、我先に走ってきて可愛らしく尻尾を振ったり、足元にじゃれて甘えていたけど、サクラだけは、庭の隅でじっと、僕らの方を見ていた。

ミキは丸々太って真っ白い、特別可愛らしい一匹を欲しがったのだけど、僕は、何故かサクラのことが気になった。僕が近くに行っても動かないし、抱き上げても、不安げに僕を見上げるだけで、尻尾もふらない。折れ曲がった耳を、ぴく、ぴく、と動かして、何かの音を聞いているみたいだった。僕が顔を近づけると、不思議そうな顔でじっと見つめ返すのだけど、時折ふと、懐かしそうに遠くを見ることがあって、ああこの犬は、とっても寂しいんだ、そう思った。サクラの目は濡れて、変な具合に光っていた。

サクラを離さない僕を見たおばさんが、

「その子、えらいおとなしゅうて弱いから、他の子ぉらに、ごはん食べられてまうねん。」

そう言ったけど、僕は、その言葉も気に入った。

ミキは、真っ白い一匹を相当気に入って、散々連れて帰ると言い張ったけど、僕はどうしてもサクラを連れて帰りたかった。何故かは分らないけど、こいつじゃなきゃ駄目だ。そう思った。

「この子にします。この子をください。」

ミキは帰り道むくれている様子で、僕の後からのろのろとついてきた。時折棒切れを拾っては、家の壁やフェンスをがりがりひっかく。すねているときのミキの癖だ。自分からは何も言わないけど、気持ちを代弁するように大きな音を出すのだ。それは分別して捨ててある缶やビンを蹴《け》るガチャガチャだったり、建付けの悪い部屋の扉を開け閉めするギイギイだったり、つまり皆が顔をしかめる類《たぐい》の音で、今日のそれはがりがりと何かを削るような音、だから僕は、ミキが随分傷ついていることを知る。もともと犬をもらいたいと言い出したのはミキだし、生き物を飼うことの大変さをとうとうと語る母さんを説得したのもミキだ。

つまりミキが言いたいのは、犬を選ぶ権利があたしにはあるわけで、なのにのこのこ付いてきたあんたが勝手にそんな貧相な犬に決めちゃって、ああ、あたしの心は相当傷ついているのよ。ということ。

いつもの僕なら無視しているのだけど、さすがに少し悪いことをしたような気がしたので、

「ミキ、だっこしたり。こいつえらい小そうて、可愛いで。」

そう言って、サクラを差し出した。

ミキは、最初

「ええわ。その子、弱っちいもん。」

それだけ言って、そっぽを向いていた。でも、がりがりとフェンスを引っかく音が少し小さくなったので、僕はもう少ししつこく誘ってみた。

「ミキ、だっこしたりって。」

ミキは少し迷ったふりをして、渋々という感じでサクラを抱いた。

ミキの小さい手に抱かれて、サクラは益々頼りなげだった。こころなしか、震えているようにも見えた。でもミキが、サクラの匂いを嗅ごうとして顔を近づけたとき、何故か、その細い尻尾を弱々しく振った。それは乾きかけのグラスから、最後の水滴が落ちるほどのささやかな、本当に小さな動きだったので、僕は犬が嬉しいときに尻尾を振るものだということを一瞬忘れてしまったほどだった。

「こいつ、僕が抱いたっても尻尾振らんかったのに、ミキやったら振りよる、きっとミキのことが好きなんや。」

少しご機嫌をとるつもりでそう言ったのに、ミキはその考えが随分気に入ったらしく、途端に上機嫌になった。

「だって女の子同士やもん、なぁ。」

得意げにサクラのお腹に自分の頭をぐりぐり押し付けるので、サクラはくすぐったいような顔をして、そして細い尻尾を、さっきよりはもう少し強く振った。

そのときハラリと、ピンク色のものが落ちた。

「あっ。」

ミキがサクラを抱いたましゃがむと、それは淡い淡い、陽に透かすと消えてなくなりそうな、ピンクの花びらだった。

「これ、何の花びらやろ？　綺麗なあ。」

ミキは、僕の手にある花びらを、しばらく不思議そうに見ていたけど、やがて嬉しそうにこう言った。

「桜や！　この子が産んだんや、だって女の子やもん。知ってる？　女の子はいつか赤ちゃんを産むけど、きっとこの子は小さいから、桜の花びらを産んだんよ。なぁ名前決まったで、この子の名前はサクラや！　だって、桜を産んだんやで。サクラ、なぁ、ええ名前やろう。あんた、嬉しい？」

ミキに頬《ほお》ずりされて、サクラは、とても眩《まぶ》しそうな顔をした。

「サクラ。」

そう声に出して言うと、庭の隅で不安げに僕らを見ていた子犬にぴったりの名前のような気がして、うん、悪くないと思った。

「サクラ、サクラ！」

ミキは、まさに上機嫌でサクラを抱いて歩き、それは、小さな体のミキにしてみれば、抱くというより、必死で抱えあげている感じ。スカートがずりあがって、パンツが見えている。後ろから歩く僕は花びらは尻尾に偶然ついていたものだし、しかも桜では無いのだと分かっているけど、言わないでおく。

妹は六歳で僕は十歳、目を閉じると、小さな頃の幸せな思い出が浮かぶことがあるけど、僕の場合それはこの場面だ。

スカートがずりあがった小さな妹と、その少し後ろを歩く僕。家には少し風変わりな家族が待っていて、そしてミキの手の中で、小さく震えているサクラの温かな体。初夏の太陽は遠慮がちに夏の始まりを告げていて、家までの坂道には僕らの影が映っている。誰かの思い出みたいに、くっきりと。

まあるくて暖かい何かが、僕らを包んでいた。それは誰知らずそこにあって、夜明けのコーヒーのように、雨の日の電話ボックスのように、僕らを温め、そして守ってくれた。

あのときの僕らに、足りないものなんて何も無かった。

「いやぁ、家の中はあったかいわぁ！」

母さんの声は、やっぱり相当大きい。僕の思考回路を、全てふっとばす迫力がある。母さんは太っているせいもあるけど体温が高くて、それは周りもぽかぽかと暖めてしまう類の暖かさで、今日みたいな冬の寒い日に、閉め切った部屋に突然母さんが入って来ると、まるで世界中の熱を持ってきたみたいに思う。ほくほくとした、優しい熱だ。その証拠に、ミキがこっちを見て、初めて笑った。

「ふたりとも、えらい久しぶりと違うぅ？」

嬉しそうに見慣れたエプロンをつける。緑の肩紐《かたひも》で、犬の絵が刺繍《ししゅう》してある。丸い文字で「SAKURA」とアップリケがされてあって、最後のAがとれかかっていた。ミキが、中学校の家庭科の時間に作ったものだ。

「サクラのラって、ＬＡ？　それともＲＡ？」

と聞かれたので、よく覚えている。僕は今でもＬかＲか分からないけど、Ｒの方がなんとなく納まりがいいと思っている。

「薫、今日食べたいもんある？」

僕は、いくつか食べたいものが頭に浮かんだけど、どうせ決まっているのだろうと、あきらめた。

「いや、別に。」

「てゆうか、もう決まってんのよ、お父さんが、家族が揃《そろ》うんやったら、鍋やって！」

母さんはそう言ってふふ、と笑うと、何の歌か分からない歌をくちずさみながら、台所に立つ。

幸せそうに鼻歌をくちずさんでいる母さんにか、何年かぶりに帰って来て、それでいて僕らの再会の日の献立を決めてしまう父さんにか、アップリケのことなど忘れてしまったようにペディキュアを塗るミキにか、何か分からないけれどとても悲しくなって、僕はぎゅうっと目をつぶる。目の中にはテレビの映像が残って、ちらちらと瞼《まぶた》をくすぐる。

「本当、似てるよねぇ。」

「いや、本人ですって言われても、分かんないわ。」

「サイン下さいとか、言われたこと無いの？」

「あ、何回かあります。」

「だろうねぇ、いや、気付かないよ。似すぎ。」

テレビでは、毎日昼にやっているバラエティ番組の年末特番をやっていた。ちょっと古い感じのハンサムな男の人が、出演者に囲まれて困ったような笑いを浮かべている。

「ちょっと横向いてみて。」

「うわあ、似てるう！」

「やばいやばい！」

ミキは憮然《ぶぜん》としている。

「似てるって、この人誰に似てんの？」

実は僕も分からない。テレビをあんまり見ないし、人の顔を覚えられないのだ。

「知らん。」

ミキは僕の返事を聞くまでも無く、チャンネルを変える。

次々と画面が変わっていく様子をぼうっと見ていると、扉が開く音がした。ミキがボタンを押す手を早めたのと音量を上げたことで、僕はそこに父さんが立っているのに気付く。

「あー、寒いなぁ。」

小さく言ったその声で、父さんがきっとものすごく痩せてるんだろうと思って、ふいに泣きたくなったけど、どうしても振り返るのは嫌だった。

「いやここまで似てる人見たことないわ。」

「ねえ、ほんとにねぇ。」

結局テレビには、さっきと同じ画面が映されている。

「人間、世界に三人同じ顔の人いるっていいますけどね、絶対あなた、そのうちのひとりですよ。」

再会の夕食

再会の夕食は鍋だ。父さんが勝手に決めてしまったことなので悔しいけど、鍋はいい。ナイスチョイスだ。ぐつぐついう音のお陰で話をしなくても気詰まりじゃないし、テーブルの上にかさ高いので、お互いの顔をまともに見ずにすむ。

母さんとミキがいつも座っているであろう席に早々に座って、せっせと鍋の中に野菜を入れる。僕と父さんは座る席を決めかねて、結局お互い恥ずかしそうに、それぞれ昔座っていた席に座った。でも僕はすぐに、この選択は失敗だったと思った。僕の席は父さんの前で、お玉や何やかやを共有しなければならない。しかも、もしかしたらビールをつげなんて言われるのじゃないかと思っていたら、まさに不安的中、

「ほら薫！　お父さんにビールついであげ！」

父さんは少しぎょっとした顔で僕と母さんを交互に見て、

「いやいや、ええよええよ。自分でやる。」

と言った。しわがれたその声と、顔の前で手を振る卑屈な仕草を見たくなかったから、僕は缶ビールを開けて、勢いよく父さんのグラスに注いだ。父さんはあわててグラスを持ったけど遅くて、溢《あふ》れたビールがテーブルと、ついでに父さんのズボンを濡らした。

「いやぁ！　ビールのシミは取れにくいねんで！」

母さんが慌てて布巾《ふきん》を持ってきた。母さんにごしごしとズボンをこすられて、父さんは
「すんません。」

と情けない声を出す。そしてそのまま、頭を何度も下げて、

「すんません、すんません。」

と言い続けた。

母さんは馬鹿みたいに父さんのズボンをこすり続けて、ミキはミキで溢れそうになっている鍋に野菜を入れ続ける。鍋はとてもいい匂いがするけど、誰も食べない。

せめて僕だけでも、と思うのだけど、さっきから変に喉《のど》がつかえて食べる気がしない。強烈に煙草《たばこ》が吸いたくなって、ポケットのマルボロを探すけど、コートに入ってることを思い出して諦《あきら》める。

ちっともビールなんて飲んでいないのに、何故かミキがげっぷをして、そして
「あー、くそ。」
と言った。
再会の夕食は鍋だ。

父さんの「すんません。」が終わる頃、僕らは煮えすぎてくたくたになった鍋を食べた。母さんは、驚異的に食べ続けた。あまりに速くたくさん食べるので、僕は驚いてしばらく缶ビールを持ったまま呆然《ぼうぜん》としてしまった。

「バキューームカー」という言葉が頭に浮かんで、さすがにそれはひどいと思い直して、それでもそれ以外の言葉が思いつかなかった。

ミキはそんな母さんに慣れているみたいで、たまに
「噛んでんの？」

そう言うだけで、後は黙々と食べる。父さんも母さんの食欲に相当びびって、お箸《はし》を持ったまま、ちらちらと母さんの方を盗み見た。

あれだけあった鍋は、あっという間に消えてなくなった。

母さんはそれでも食べたりないらしく、驚くことに雑炊の準備を始めた。僕がまた、ゲロが喉を通り抜けて行くときの、あの独特の躍動感を思い出してうっとりとしていたとき、ミキが

「サクラ家に入れたろ。」

と言った。

思わぬ時間に家に入れてもらえたサクラは目をしょぼしょぼさせて、眠そうに、テーブルの下までやって来る。その後ろからミキが、

「おー、寒い寒い。」

と言いながら、サクラのお尻をぺちぺち叩《たた》く。サクラは、叩かれても嬉しそうに尻尾を振って、ミキは、サクラが可愛くてしょうがないので、体中をぺちぺちと叩く。すると、ぷわぁー、とサクラが欠伸《あくび》をする。

「うわ、口くっさー!」

ミキはそんなことを言いつつ、お行儀悪くも腹ばいになってサクラを撫でていて、するとサクラが、今度はぷう、とおならをする。これには皆閉口で、でも、面白くて笑った。父さんも、

「サクラ、くさいなぁ。」

と言いながら笑っていて、僕は思わず父さんに
「なぁ?」

と言って、言ってから「しまった。」と思うけど、母さんが
「サクラ、嬉しかったんやんなぁ? 皆がいるから。なぁ?」

なんて言うから、

「それでおならかい。」

と笑った。父さんが、僕らのことをじっと見て、母さんが、雑炊を皆に取り分け始める。サクラが皆に順番に媚《こび》をうって、それから、

「ぐふうっ。」

と言った。


テーブルではさっきから、母さんがひとり喋っている。

「ミキ、ほら、前見たテレビの話、ふたりにしてあげて。あの、お酒飲むと細胞が変わる話。」

「薫、カステラ食べる？　あんたザラメついたカステラ好きやろ。結構探すの大変やってんで！」

「お隣も犬飼うねんて。えっとなぁ、なんやっけ？　脚短い奴、ええっと、ああ、そうや、ポーリーやって！」（恐らくコーギー）

テーブルの下では、サクラがもう鼾《いびき》をかいている。その鼾は規則的で、低くて、遠い海を旅してきた、引き揚げ船の汽笛を思わせる。

サクラは、大きな船のように、いつだって僕らを安心させる。

「お風呂に入ってくる。」

ミキが立ち上がると、それを機会に、皆それぞれ立ち上がった。

ミキがお風呂からあがったのは、一時間ほど経《た》ったあとだ。

僕は面白くも無い年末番組を見て、母さんは食器を洗っていた。父さんはちゃっかり母さんが入れてくれたお茶を飲みながら、耳掃除をしている。部屋の隅に父さんが持って帰ってきたのであろうくたびれたボストンバッグが転がっていて、僕は母さんが食器より何より早くこのかばんを片付けてくれたらいいのに、と思った。

ミキはファンヒーターの前にぺたりと座り込んで、バスタオルで髪を拭くのに必死だ。ファンヒーターの暖かい風が、シャンプーの甘ったるい、人工的な匂いを運んでくる。

「さぁ、次は誰が入る？」

時計を見ると九時半、僕は家ではいつも朝シャワーを浴びる。そのことを言おうと思ったけど、母さんに風邪を引くだの健康に悪いだの、とやかく言われそうなので代わりにこう言った。

「母さんが入りや。僕、寝る直前に入らんと湯冷めすんねん。」

「いや！　母さん最後に入って、お掃除しよ思てたのに！」

「掃除やったら僕がするよ。」

「そんなん湯冷めするやないの！」

なんとなく、また面倒くさいことになってきたので黙ると、母さんは今度は父さんに向って言った。

「お先にどうぞ！」

父さんはびっくりして、耳を掘る手を止めた。

「いや、いやいやいや。ええ、ええ。どうぞおふたり先に。」

どこまでも卑屈なその態度を見て、僕は絶対最後に入るぞ、と心に決めた。大体風呂なんて好きな時間に入ればいい、こんな風にわざわざ順番に、次々に入らなくてもいいのに。でもこれは、母さんの決めたルールであって、それは絶対なのだ。

「ああそう？　ほなお先に。ミキほど長ないからね。」

太い体を揺らしてお風呂場に向うとき、母さんは
「お湯溢れても、知らんよーん！」

と言った。父さんが苦笑して僕らをちらりと見たけど、僕らは笑わなかった。

言わなくても分かるだろうけど、母さんはいわゆる肥満だ。

昔は細くて、腰なんて子供を産んだと思えないほど華奢《きやしや》だったのに、今ではでっぷりと肉が乗って、厚着をしていても何重にも肉が重なっているのが分かる。首とアゴの境目も分からないし、手首には輪ゴムを巻いているみたいな線がある。昔の美しい母さんは、見る影もない。

その代わりと言っていいのか、父さんは痩せ細り、頬がげっそりとこけている。奥まった目や彫りの深い顔立ちのせいもあるけど、その顔は影が濃く、苦悩にゆがんでいるように見える。

ミキはファンヒーターの熱で髪を乾かそうとしている。こちらに背を向け、送風口に頭を持っていこうとかがんでいるので、パジャマの後ろからお尻の肉が見えている。見るからにつやつや

とすべらかで健康的なそれは、あの日サクラの尻尾についていた花びらみたいなピンクだ。

ミキが唐突に

「明日、大晦日《おおみそか》や。」

と言った。

餃子

大晦日の朝はいつも、くすぐったいような、わくわくした気分になった。それは二十二歳になった今も同じで、太陽もこの後に控えた大仕事に、少し緊張しているみたいだ、いつもより大きく、綺麗に見える。

僕は心地よい緊張感のせいで優しい気持ちになり、いつもよりゆっくり、噛み締めるように朝食を取る。

僕とミキと父さんの皿にはトーストが二枚ずつ、母さんの皿には四枚乗っている。食卓にはワケの分らない色のジャムや高級そうなマーガリン、パンに塗る類のものがこれでもか、というほど載っていて、うちはきっと日本でも指折りの高エンゲル係数一家だ。父さんが定期的に振り込んでくるお金と僕のバイト代はおおよそ、こういった素性の分らない食品に変わっているようだ。母さんは変な匂いのするコーヒーを美味しそうに飲んでいて、気になるのだけど一度聞くとまた面倒くさいことになりそうなので、後でパッケージをこっそり見ることにする。

「年越しそばって、何時に食べんのが正式？」

トーストを頬張りながら、ミキが言った。誰に言ったわけでもなさそうなのだけど、父さんがきょろきょろとうろたえる。

「……正式って……？」

「ええ!?　正式な時間なんて、無いんちゃうのぉ？　ただ大晦日に食べたらええんとちゃう？なぁ薫！」

母さんはさすがの大声で全てを飲み込む。だてに変な匂いのコーヒーを飲んでいない。僕は、皆より早くトーストを頬張り、コーヒーで流し込んだ。

「年越しそばは？」

「年越す瞬間に食べんねん。」

大晦日の朝だ。


暖房を効かせた部屋は、ぴいんと冴え渡った外の空気と違って、どんよりと濁って、密度も高いような気がする。いつの間にか父さんのボストンバッグはどこかへ消えていて、その代わりテーブルに座っている父さんは三年分の不在をものともせず、しっくりと風景に馴染《なじ》んでいる。

家から出て行った日、父さんは今日と同じボストンバッグとその日の朝刊を持って行った。あの日僕は、父さんが出て行っておそらく帰って来ないであろうことよりも、その日のテレビ欄が見られないことに腹が立った。

ミキはしばらく家の中を探しているようだったけど、

「あー、くそ。」

と言って、出て行った。そして十分ほどしてからサクラと一緒に家に入ってきて、テーブルの上に朝刊を三部ほど投げた。どれも全く同じ朝日新聞で、僕はテレビ欄が見れたらそれで良かったので
「これ、どうすんの?」

と聞いたけど、ミキは「これ、どうしたの?」と聞かれたと勘違いしたのか
「浅野さんのと、岸さんのと、大西さんちのポストに入ってた。」

と言った。サクラは不安そうに、目を三角にしていた。

母さんは僕よりミキより早く、父さんの不在に気付いていた。早々に父さんのタンスを整理し出して、靴下やらブリーフやらネクタイを、庭で燃やし始めた。季節はちょうど秋で、母さんは折りよく熊手で庭中の落ち葉を集めていたから、ご近所の誰にもあやしまれることなくそれをやってのけ、

「朝刊が入ってへんのよ。」
という浅野・岸・大西さんに
「うちもやのよ！　新聞屋に言いましょか？」
と、抜群の演技力で嘘《うそ》をついた。

ソファでミキが雑誌を読んでいる。肘掛に投げ出された足を見ると、昨日と違うオレンジのペディキュアをしている。相変わらずべっとりと小指からはみ出していて、決して得意じゃないであろうそれを、毎日毎日、ミキがなぜそう熱心にするのかが分らない。

にんにくのいい匂いがして、僕はテーブルの上に大量に作られた餃子《ぎょうざ》のタネを見る。我が家は正月に、おせちではなくて餃子を大量に食べる。どれくらい大量かというと、正月三が日を毎二食（トーストと決まっているし、寝坊するから朝ごはんは数に入れない）食べ続けても余るくらいの量だ。

我が家の正月餃子は何故なのかと言うと、恥ずかしいけど父さんと母さんのロマンスから始まっている。

初デートの日、ふたりは神戸の中華街に出かけた。緊張していた母さんは、父さんの前では決して餃子を食べなかったそうだ。母さんはつまりにんにくの匂いを気にしたのであって、そのときに、

「ああこの人の前で、思い切り餃子が食べられるような関係になりたい。」

そう思ったのだ。それから一年後ふたりは餃子を思い切り食べるどころか、当時では珍しい出来ちゃった結婚までしてしまうのだけど、そのときのことを忘れなかった母さんが、「一年で一番大切な日に、ふたりで餃子を思い切り食べましょうね。」というしきたりを作ったのだ。迷惑な話だ。話に乗る父さんも父さんだ。

家にはその記念すべき初デートの、精一杯格好つけている父さんと、最大限のお洒落《しゃれ》をした母さんの写真がある（衣類関係は一気に燃やしてしまった母さんだけど、写真は大切にとっておいた）。

父さんはミキに譲った鷲鼻や、きりりと意思の強そうな目と眉《まゆ》、僕に譲っただらしが無い口元とエラのはった輪郭は欠点だけど、それも全体の洗練された雰囲気でカバーされている。母さんは会社でも有名な美人、卵形の理想的な輪郭、弓形の眉とアーモンド型の瞳《ひとみ》、ぷっくらと色っぽい唇、丸い鼻は愛嬌《あいきょう》がある。

僕は両親のどちらにも似ていない。いや、似てはいるのだけど、それぞれの欠点ばかりを集めた顔だ。唯一目元は父さんのきりりとした感じに似ていなくもないけどなんだかみすぼらしいし、全体的に地味な雰囲気がぬぐえない。母さんは

「薫は、味のある顔をしている。」

と褒めてくれるけど、父さんは、

「薫は、耳の形がええ！　こう、横に出てて、人の話をよう聞く耳や。」

と、かなりどうでもいい部位を強調するし、ミキに至っては、

「一回見ただけやったら覚えられへん顔。」

と言う。

「薫、手伝って。」

いつのまにかミキは雑誌を放り投げて、餃子の皮を包む準備を始めた。この大量の餃子を包むのも、毎年恒例の行事だ。家族総出でやるときもあれば、僕ら子供達だけでやるときもある。ミキは
「これ、当たりな。」

と言ってはお中元のハムやチーズ、明太子なんかを一緒に包んでしまうのだけど、手当たり次第入れるから「当たり」餃子だらけになる。たまに入れるものが無くなってクッキーを入れたり、明らかに「はずれ」餃子を作ろうとするから、目が離せない。ミキは小さな頃から限度を知らないのだ。

今も作業を進める僕らの横に、ピーナッツバターやM&M'sチョコレート、オレオクッキーなんかが転がっているので、僕はどきどきしている。

「ミキ。」

「ん？」

「まさか、これ包むんとちゃうやろな。」

色鮮やかなジェリービーンズを手にした僕を見て、ミキは真顔で
「まあまあ。」

と、よく分らないことを言った。

「まあまあ、て、どうゆうことやねん。まあまあの量包むゆうことか？　それとも包むけど、まあまあそう怒らんと、ゆうことか？」

「それ、どっちの意味も一緒やん。」

「……包むんか。」

あきらめて僕は、せめて自分だけでも美味しい餃子を作ろうと、必死になって作業を続ける。父さんの姿が見えないことをミキに聞くのもくやしいので黙っていたら、僕の気持ちを見透かしたように、ミキが
「あの人、二階でなんかやってる。」

と言った。僕が
「ふうん。」

なんて気のない返事をしていると、今度は、

「自分の餃子だけ分るようにしても無駄やで。」

と言った。僕はどう返事したらいいか分からなかったので

「おお。」

と曖昧《あいまい》なことを言って、言ってから皮についてる片栗粉にやられて、くしゃみをした。

「ぶえっへーん。」

僕の息で粉が飛び散り、ジェリービーンズまで床に落ちる。ミキがオレンジの指で僕を蹴って、それから同じく、くしゃみをした。

「くちゅん！」

女の子らしい、可愛いくしゃみだ。

騒ぎを聞きつけ（それと、匂いを嗅ぎつけ）たサクラがやってきて、サッシ越しに僕らを見ている。

市民の森公園

餃子包みに飽きた僕は、ミキを見張るのも諦めてサクラの散歩に行くことにした。

僕が散歩用の鎖を見せると、尻尾をちぎれんばかりに振るので、年をとってもやっぱり散歩は嬉しいんだなと、僕も嬉しくなった。

空気はしんと冷えていたけど、ちょっと珍しいほど綺麗な夕日のせいでそんなに寒くなくて、サクラも気持ち良さそうだった。時々僕の方を眩しそうに振り返っては、二、三回尻尾を振って、また歩く。たまにすれ違う他の犬が威嚇《いかく》をしてきても、知らん振りだ。頼もしい、賢いサクラ。

僕が家を出てから、母さんやミキがどんな風にサクラを散歩に連れて行ってやってるのか知らないけど、サクラはナビゲートするみたいに僕を色んなところへ連れまわした。昔は通行止めだったところに新しい道が出来ていたり、大きな家が建っていたそこがだだっぴろい空き地になっていたり、その変化に僕は驚いた。

「えらい変わったなぁ、サクラ。」

サクラは僕の反応を窺《うかが》った後、ひとしきりそこらの匂いを嗅いで、挨拶代わりのおしっこをしてから、また歩き出す。サクラの肉球が地面に触れるぺたりぺたりという音が、僕の耳をくすぐって、そのとき初めて、ああ帰ってきて良かったと思った。

サクラはそれから三十分ほど、気まぐれに僕を連れまわした。同じところをぐるぐる回ったり、人間の僕には通りづらい草むらを通ったり、結構好き勝手やっていたサクラだけど、最後は結局いつもの散歩コースに戻った。

「市民の森公園」

その公園の入り口には、大理石に達筆な字でそう彫ってある。たしか僕の小学校の同級生、名前は忘れてしまったけど、なんだか威張ってて嫌味だった奴のおじいちゃんが書いた。体育館に飾られている僕らの学校の校歌も、そのじいさんが書いていて、ちょっと有名な書家か何かだろうけど、僕は偉そうな筆文字は好きじゃない。自信が無さそうでも、気が弱そうでも、父さんの鉛筆文字の方が好感が持てる。

「市民の森公園」

立ち止まった僕を、サクラがじっと見ている。さっきまで僕が立ち止まると、鎖を引っ張ったり足踏みをしたりして催促していたのに、今回は僕が動き出すのを辛抱強く待っていた。

入り口を入ってすぐ右側に、市民会館と呼ばれる建物がある。打ちっぱなしのコンクリートが当時では洒落ていたそこには、市役所の出張所やちょっとしたコンサートホールが入っている。僕らには用の無い建物だったけど、夏の暑い日に冷房の効いたエントランスで涼んだり、トイレを借りに来たりした。

歩き出した僕に合わせるようにして、サクラがゆっくりと足を運んだ。地面の匂いを嗅いだりおしっこの場所を探したりせず、ただ僕の歩幅に合わせて歩く。僕は一歩一歩、何かを噛み締めるようにして建物に近づいた。

市民会館の入り口には、「本日休館日」の札がぶら下げられている。長年使っている札なのか、「本」と「館」がほとんど消えかかっている。ガラス越しに中を覗《のぞ》いてみたけど、西日が当たったそこには、僕の顔しか映らなかった。なんとか手で光をさえぎるようにして見ると、昔と変わらないエントランスの様子がかろうじて見えた。僕らがコーラを買った自動販売機はそのままそこにあったし、トイレを示す看板もそのままだ。ただ、たくさん並んでいた緑の電話が一台だけになっていて、エントランスの隅に置かれていた。ちょっと白が混ざったような濁った緑が、無機質なグレーの空間でぽかんと浮いている。

鎖が動く気配がした。振り向くと、サクラが後ろ足で首の根元をかいている。いつもみたいに熱心にかくのじゃなくて、二、三回軽く足を動かす程度だ。かいた後は少し背筋を伸ばして、僕の足元を見ている。目の上に生えている長い毛が、西日で白く光っていた。

「長谷川君。」

声が聞こえた。女の子の小さな、ためらうような声だ。

「長谷川君。」

弾かれたようにガラスを見ると、そこにはやせっぽちの男の子が立っていた。雨がやんだ後の空みたいな青いダウンパーカーと、少し大きめのジーンズ姿。ちょっと緊張した顔で、こちらをじっと見ている。ああ、十三歳の僕だ。

驚いて瞬《まばた》きをすると、その姿は一瞬で消えてしまった。その代わり無精髭《ひげ》の生えた男と、みすぼらしい犬が、馬鹿みたいに立ち尽くしている。僕は目の中に残る十三歳の自分を反芻《はんすう》するみたいに、ぎゅうっと目をつむった。

「長谷川君。」

あの日は、こんな風に西日が差していなかった。だから僕は、背後に立っているその子を、ガラス越しに見ることが出来なかったんだ。

名前を呼ばれて、僕の心臓は鼠《ねずみ》のそれくらい超スピードで鳴ったけど、その子に緊張した自分を見られたくなかった。すぐにでも振り返りたかったけど、何度か呼ばれて初めて気がついたみたいにしたくて、十秒だけ数えてやっと振り返った。そうだ、あの、永遠とも思える十秒。

「一、二、三、」

そのとき、パーカーのポケットがほつれていることに気付いた。

「四、五、六、」

ポケットの中にはミントガムが入っていて、僕の指をつついた。

「七、八、」

風がびゅうっとふいて、女の子の髪の毛の、甘い匂いを運んできた。

「九、」

十三歳の僕は待ちきれなくて、あと、たった一秒を残して振り返った。ポケットの中で、力いっぱいガムを握り締めたから、それは僕の手の中でつぶれてしまった。もう一度風が吹いて、そこには、髪の長い女の子が、上目遣いに僕を見ていた。

「長谷川君?」

「十。」

二十二歳の僕は、十まで数えても振り返らなかった。目を開けるのもやめた。僕はただそこに立って、じいっと目をつむっていた。西日が反射していたけどちっとも眩しくなかったし、サクラの鎖はぴくりとも動かなかった。

あの日あの子は、どんな顔をしていたんだろう。何を思っていたんだろう。その子を見て黙りこんだ僕は、どんな風に思ったんだろう。思い出が、砂粒みたいにサラサラと舞う。靄《もや》がかかったようなそれは僕の周りをぐるぐる回るけど、なかなかはっきりとその姿を現さない。

ただ左の手のひらでぐにゃりと形を変えたガムの感触と、突然ふいて来た甘い風の匂い、それが今ここで起こっていることのようにリアルで、僕をいつまでだってその場に立ち続けさせた。

「長谷川君？」

耳の側《そば》を通る風の音や、遠くに聞こえる誰かの笑い声が、驚くほど大きな音で響く。でも耳鳴りのように聞こえるそれが、今ここで聞こえる音なのか、あのとき聞いた音なのか分からない。それはまるで、僕をからかってるみたいに、やってきては引き返し、また唐突に響いたりした。それはもう、アメリカ南部を襲う竜巻のように、浜に吹きつける突風のように。僕の脳みそはその変化についていけなくて、ただただ何かに翻弄《ほんろう》されていた。

母さんの後姿、よちよち歩きのミキ、父さんのボストンバッグ、サクラの尻尾についていた花びら、緑の電話、色んな映像が僕の頭を高速でよぎって、それは新幹線の揺れに似ていて、吐きそうになった。どれだけ力いっぱい目をつむっても、それらは僕の頭から消えなくて、そのくせふわふわと頼りないから、僕は不安になってますます吐きそうになった。

悪いことに、頼りない映像の中で唯一、僕の頭の中にしっかりと残るものがあった。それだけはどれだけ風が吹いても、誰かの声が聞こえても、その姿を変えることなく、しっかりと、僕の頭の中に居座った。

それは、一本の木だ。

ああ、死んだ何かの骨みたいに真っ白で、世界中の重力を背負ったみたいにぐにゃりと曲がった、一本の木。僕達から、母さんの細い指を、湖みたいに光るミキの瞳を、皆を守る父さんの腕を、暖かい春を、お喋りなサクラを、全て持っていってしまった、あの木。

僕の心から、決して消えることのないであろうそれは、今まさにその力を発揮して、僕を容赦《ようしゃ》なく追い詰めて行く。ふいをつかれた僕は、倒れるのをこらえるのに必死だ。この場から逃げ出したいのに、足が、体が、木の枝に搦《から》め取られて、動くことが出来ない。

「薫。」

また、声が聞こえる。今度のそれは、男の人の声だ。木の陰から聞こえる、溌剌《はつらつ》とした男の人の声。僕の周りをふわふわと舞っていた砂粒達は、今度は大きな光に姿を変えて、僕目指して飛んでくる。それは僕やサクラや、あの一本の木を包んで、包んだ後はゆっくりと、その正体を現して行く。

夏の暑い日だ。

公園には手の平くらいの大きな葉っぱが落ちていて、持ち主の木は暑さにやられたみたいにふらふらと揺れている。自販機の横には誰かが捨てて行ったジャンプが落ちていて、前日に雨が降ったのか汗をかいたみたいに濡れている。

僕はとても喉が渇いていて、自販機でコーラを買おうとしている。その頃はまだ一〇〇円、僕は缶を開けた後のプルタブを集めていた。

僕がお金を入れて、さぁコーラをと思って手を伸ばしたとき、誰かが缶コーヒーのボタンを押してしまう。僕が驚く暇もなく缶コーヒーがごとりと音を立てて取り出し口に落ちて、それはつやつやと光っている。当時まだコーヒーの美味しさが分からず、何より喉がカラカラに渇いていたので、僕は腹を立てて振り返る。

一瞬、強い逆光で顔が見えないけど、その人が笑っているのは分かる。

「薫。」

遠くでミキがサクラと遊んでいて、歌うような笑い声が聞こえる。ああさっきの声は、ミキのだったんだ。何か叫びながら楽しそうにサクラを追いかけて、まだよちよち歩きのサクラは、ボールが跳ねているみたいな走り方で、ミキから逃げ回っている。

「何すんねん！」

僕が言うと、その人は声を立てて笑う。

「はは、悪い悪い、それ、飲むわ。」

楽しそうに一〇〇円玉を僕に投げて、それは親指でコインの端を弾くやり方、きいん、という涼しい音を立てるから、そして何よりその人が笑っているから、僕も楽しくなって、その人を殴る真似《まね》をする。僕のパンチをひょいとよけ、僕の頭をくちゃくちゃに撫でて、ゆっくりとミキとサクラを見やるその人は、背が高くて、ハンサムで、力強くて、何より、優しかった。

「行こか、薫」

僕らの兄ちゃんだ。

第2章

はじめ

兄ちゃんは八月の暑い日、母さんの産道を十三時間半かかって通って、

「ふんぎゃあ。」

という第一声を発してから、二十年と四ヵ月後に死んだ。四年前のことだ。


兄ちゃんの誕生は劇的だった。

さすがに例の神戸デートで出来たのでは無いけれど、兄ちゃんは父さんと母さんがデートを重ねてから約八ヵ月後、小さな小さな卵として母さんの子宮にくっついた。兄ちゃんの存在に母さんが気付いたのはそれから三ヵ月後、生理が来ないからじゃなくて、猛烈な食欲と吐き気に襲われたからだ。病院で思いがけず兄ちゃんの存在を知った母さんは
「んなアホな。」

と言った。

逆算していくと、兄ちゃんが母さんのお腹に宿ったのは母さんの誕生日で、何故そんなことが

分るかと言うと、誕生日に初めてセックスをした母さんはあまりの痛さにその後三ヵ月間、つまり兄ちゃんを身ごもっているということが分るまで、父さんに自分の体に触れさせなかった。

つまり兄ちゃんは、両親の初めての、しかもたった一度のセックスで出来た子なのだ。

言い忘れてたけど兄ちゃんの名前は「一」と書いて「はじめ」、色んな意味がこめられすぎていて、かなり恥ずかしい。兄ちゃんはよく自分のことを

「俺はナンバーワンでオンリーワン。」

そう言っていたけど、母さんからこの話を聞きだしたミキが興奮してことの次第を話すと、

「ナンバーワンやなくて、ファーストの一やんけ。」

と言った。ちなみにミキが母さんにこの恥ずかしい話を聞いたのは、ミキが八歳のとき、恐るべき子供、そして母親だ。

というわけでかなり奇跡の子としてその生を受けた兄ちゃんは、色んな意味で長谷川家初の子供として、それはそれは大切に育てられることになる。

兄ちゃんは、小さな頃からモテた。幼稚園年少時「雪組」にいた兄ちゃんは、先生の

「好きな子だーれ？」

という質問に、ひとりを除く組全員の女の子に指を差されるという快挙をなしとげ（例外のひとりはプールの先生のことが好きだった）、続く年長時の「ゆり組」では、兄ちゃんの隣の席を争って女の子達がキャットファイト並の喧嘩《けんか》、ひとりの女の子がハサミで他の女の子に切りつける

という問題を起こし、ちょっとした「はじめレジェンド」を残した。

小さな頃の僕はよく、

「はじめ君の弟やから。」

という理由でままごとに入れてもらったり、苺《いちご》のパンツを見せてもらったり、結構兄ちゃんの恩恵に与《あずか》った。

僕は兄ちゃんが生まれた翌々年の五月、風「薫《かお》る」季節に生まれた。こうやって考えると、両親の名前の付け方はかなり安易だ。ちなみにミキは「美しく貴い子」、初めての女の子が両親は可愛くて仕方ないらしく、甘やかし放題に育てた。その結果ミキはかなりわがままで頑固だ。

兄ちゃんの記憶力はちょっと尋常じゃなくて、僕やミキが生まれた日はもちろん、自分が生まれた日の空の色や母さんの手、父さんの顔なんかを覚えていると言っていた。

「絶対嘘や！」

「本まや、なんやったら俺、母さんの腹ん中におったときのことも覚えてる。」

「どんなんよ？」

「なんや暗うて、ふわふわしとる。俺は水をがぶがぶ飲んでて、たまにしょんべんすんねん。母さんの声がいっつも聞こえててな、生まれてきたときにその声聞いて、ああこの人やったんやて思たんや。」

今でも信じられないような話だけど、「父さんが病室に向日葵《ひまわり》じゃない黄色い花とたくさんのバナナを持って来た。」話や、「病院から家に戻った日に、隣の家に大きなトラックが停まっとった。」話など、両親しか分らないようなことを話したと、あとになってふたりから聞いた。

「黄色い花はな、ほんまに向日葵とちゃう、マリーゴールドゆうてな、母さんが好きな花やってん。バナナはな、産後やし栄養つけな思てな。誰にも会うてへんし言うてへん、知ってんのは母さんだけや。」

「そういえば一と病院から戻った日ぃに、お隣さんが引越してきはったわ！　なんや引越しの挨拶来はったけど、お母さん寝巻きやろ？　恥ずかしかったわぁ。一、なんでそんなこと知ってんねやろ？」

兄ちゃんに僕が生まれた日のことを聞くと、

「家中がめちゃめちゃ臭くてゲロを吐いた。」

と言う。なんて失礼な、と思って、当時生きていたばあちゃんに聞いたら、

「そうや！　薫が生まれた日ぃや！　下水管が破裂してなぁ、トイレとか水が溢れて大変やったんやでぇ。一がくちゃいくちゃい言うて吐くしなぁ。」

と懐かしそうに言った。さすがに落ち込んでいた僕に、

「でもな、弟出来たん、嬉しかったで。」

そう兄ちゃんが恥ずかしそうに言ってくれて、それがなぐさめの言葉であっても、僕は嬉しかった。兄ちゃんの言葉には、僕を明るい気持ちにさせる力があった。

花を贈る

僕は兄ちゃんと違って小さい頃のことをあんまりはっきりと覚えていないけど、ミキが生まれる少し前のことは覚えている。いつもやせっぽちだった母さんのお腹が相当大きくて、僕と兄ちゃんでよく耳をあてて音を聞いたり、ミキが動くのを手で触ったりした。お腹の中のミキはとても大きくて、兄ちゃんや僕とは比べ物にならないほど乱暴に母さんのお腹を蹴るので、

「こらやんちゃな男の子が生まれるどー。」

そう父さんが言っていたくらいだ。実際ミキが生まれたときの体重は四五〇〇グラム、かなり大きな赤ん坊だった。でも、兄ちゃんが十三時間半、僕が六時間かかって産道を広げたからか、ミキは母さんが言うには

「三回イキんだら、すろんと出た!」

僕はこの「すろん。」という表現が気に入っている。するりと出たじゃあ味気ないし、つるんと出たじゃあ、何か失敗してしまったような響きがある。「すろん。」というのは、赤ちゃんが生まれるときの表現にぴったりだ。赤ちゃんも努力したし、お母さんもがんばって、それで息がぴた

りと合った、という感じがする。

とゆうわけでミキがすろん、とこの世に誕生した日は、雨が降っていた。ミキは二月二十九日生まれ、閏年《うるうどし》だ。

当時僕は三歳と九ヵ月で今の家に移る前、その家の庭は今より全然狭かったけど、母さんが植えた花が、いつもその体を輝かせていた。

その日、家でばあちゃんが作ってくれたあまり美味しくないオムライス（戻した干しシイタケを入れるからだ）を食べていた兄ちゃんと僕は、父さんからの電話で女の子が生まれたことを知った。

「おうい、妹が出来たどー！」

父さんの喜びようは尋常じゃなくて、妹が出来たというのは特別なことなんだということは分ったけど、兄ちゃんが僕と遊んでくれたみたいに弟を可愛がる気でいた僕は、少し面食らってしまった。何よりまず真っ先に思ったのが、

「おしっこはどうやって教えよう？」

だ。僕は兄ちゃんから、母さんに気付かれないように庭で立小便をする方法や、おしっこを遠くまで飛ばすやり方を教えてもらった。それを代々受け継いで行く気まんまんだった僕に、妹が出来たとなると、相当困る。女の子にちんこが無いというのは、「はじめレジェンド」の女の子達とのお医者さんごっこで知っていたし、おしっこするときにしゃがむという知識は持っていたけ

ど、女の子がどうやって立小便をしたり、おしっこを遠くまで飛ばすかは、全く勉強不足だった。何かいいアイデアをくれるかと思って兄ちゃんを見ると、兄ちゃんは妹が出来たという出来事に夢中になっていて、電話越しに父さんを質問攻めにしていた。

「どんな子？　どんな目？　脚は？」

ひとしきり話して落ち着いた兄ちゃんに、おしっこのことを言うと、

「あほいえ！　女の子はそんなんせえへんねん！」

と言われ、僕はがっかりしたと同時に、少しほっとした。とはいえミキはその四年後、電柱に立小便しているところを近所のおばさんに見つかって、ちょっとしたニュースになるのだけど、その話をしたらミキがいつも怒るのでやめておく。

三日後に家にやってくる長谷川家初の女の子のために、父さんとばあちゃんは大慌てで女の子用の服やおもちゃを買いに走り回った。僕のときは大抵が兄ちゃんのお下がり、新しいおもちゃなんかも買ってもらえなかったと思うけど、父さんはミキのために、白木で出来たベビーベッドまで新調した。

僕と兄ちゃんの上をぐるぐるまわっていた飛行機やヘリコプターはちょうちょやお花に変わったし、僕と兄ちゃんをあやした水色のガラガラは、もう少ししゃらしゃらと繊細な音がする桃色のものに変わった。なんだか家の中が急激に、淡く、可愛らしくなっていて、母さんがいないときでも、庭で立小便をするのがはばかられた。

「薫、もう、庭でしょんべんは禁止や。」

「そうやな、いもうとがくさいって思うもんな。」

僕たちが、少し大人になった瞬間だ。兄ちゃんと最初に決めた約束が、立小便は家の外でること、だ。なかなか男らしい。そして僕たちにとって、さらなる飛躍となる考えが浮かんだ。

「いもうと来たら、花あげよっか？」

「あげよっか!?」

僕と兄ちゃんはまだ見ぬ「いもうと」に、花をプレゼントすることにした。僕にとっては、生まれて初めての「女の子に花を渡す」行為だ。兄ちゃんの「はじめレジェンド」はそのとき絶好調を迎えているときで、

「好きな子ははせがわはじめくん。」

という台詞《せりふ》が教室中を飛び交っていた。僕はそれを知っていたから、兄ちゃんにとって女の子に花を渡すことくらいすでに経験済みだろうと思っていたら、兄ちゃんはプレゼントをもらう専門（飴玉《あめだま》だったり給食のミートボールだったりビー玉だった）、実は「女の子に花を渡すビギナー」だった。

初めての出来事に兄弟でわくわくして、えらく張り切って何色の花がいいかなんて話し合って、でも、はたと、ある問題に気付いた。

「花はどこで手に入れるんだ？」

その頃の僕らには「花を買う」なんてゆう考えは無かった。じゃあ庭に咲いている花がいいではないかとも思うけど、一度僕らが投げたボールがパンジーに激突、ぐちゃぐちゃになったそれを見て、母さんが随分悲しんだことがあった。僕も兄ちゃんも母さんのことが大好きだったので、それは避けたいと思い、ふたりでどうするかうんと考えて、「誰のものでもない花」を摘みに行こうという結論に達した。母さんがあれほど悲しんだように、誰かの花を取ってしまうと、きっとその人も悲しむから、誰のものでもないものを見つけようというのだ。また、僕たちは大人になった。思えばミキがやってくるまでのあの三日間、僕らは随分大人に、そして男らしくなった。

しかしここでさらに問題なのが「誰のものでもない花」はどこにあるのか？ということだ。全く見当がつかないけど、とにかくそこいらには無さそうだということだけは分かる。四軒隣の角に咲いていているスプレー菊は加藤さんのだし、その角を曲がって少し行ったところに咲いているアルストロメディアは三宅さんのだ。きっとこんなブロックの壁やコンクリートの道が無くなったようなところにこそ、「誰のものでも無い花」はあるのだと思った。

さて僕たちは「誰のものでも無い花」を探し求めて、町内を探検することにした。

最大の難関はばあちゃんだった。僕ら兄弟がどこかへ行こうとする度に、

「ありゃ！　どこ行くんやぁ？」

と、しつこく行き先を聞いてくる。ばあちゃんは相当楽観的な人だったけど、こと孫の僕らに関しては、これ以上あり得ないくらい悲観的な想像を膨らませては（そのあまりの可愛さゆえの

誘拐、自然災害による事故、原因不明の突然の疫病など）、よく手を合わせて拝んでいた。

ばあちゃんが僕らに許しているのは、歩いて十分ほどのところにある「キリン公園」（キリンの滑り台があるから）か、すぐ近くの団地の中にある「富士公園」（こちらは名前の由来不明）、たまに大サービスでそれぞれに一〇〇円をくれて近所の駄菓子屋「さっちゃん」（さっちゃんと呼ばれている人は働いていない）だ。

兄ちゃんと話し合って、花探しはとりあえず一番遠いキリン公園に行くことにしよう、ということになった。夕方の五時くらいになったらばあちゃんが迎えに来ることになっているから、それまで何食わぬ顔で遊んでいればいい。

僕らが行動を開始、つまりばあちゃんに嘘をついて家を出たのが午後二時、僕はあせって早く行こうと兄ちゃんを急《せ》かしたのだけど、兄ちゃんはさすがに賢い。あんまり急いで出るとばあちゃんに怪しまれるということで、いつも通りゆっくりおやつなんかを食べて、思い出したように
「ばあちゃん、キリン公園行ってくる。」

と言った。タイムリミットまで、あと三時間だ。

その日は春の陽気がするくらい、随分天気が良かった。僕ら兄弟は色違いのボーダーのダウンジャケットを着ていて、兄ちゃんが青と赤、僕が緑と黄色だ。胸にGO！とアップリケがされていて、当時は意味が分らなかったけど、なんとなく気に入っていた。

「兄ちゃん、このしましま好き？」

「好きや。」

「僕も好きや。」

僕らは鼻歌なんか歌って、意気揚々と歩いた。スプレー菊を見ながら加藤さんの角を曲がると、早速、最初の難関が訪れた。兄ちゃんの熱烈なファンに会ったのだ。名前は忘れたけど日本人形みたいなおかっぱで、切り込みを入れたような目をした、ひとつ上の女の子だ。その子は僕らを見つけると大きな声で、

「あ！」

と言い、途端に嬉しそうな顔をした。何せはせがわはじめ君と偶然会えたのだ。僕が面倒くさいことになりそうだと思っていると、その子は案の定
「はせがわくん、どこ行くん？」

と言った。兄ちゃんは
「公園。」

と曖昧に答えて、その場をやり過ごそうとしたけど、彼女は引き下がらない。

「どこの公園？」

随分しつこく聞いてくる。最初は年上の女らしく、

「○○公園はパンツを下ろした変なおっさんがおるから危ない。」

だの、

「△△公園の砂場には、ずうっと前に死んだ猫の死体が埋まっている。」

だの、様々な公園情報を提供してくれたけど、何せ僕らは急いでいた。

「ありがとう、ほな。」

と、兄ちゃんが手を振って通り過ぎようとすると、さっきまでの年上らしい冷静さはどこへやら、やおら焦って
「あたしも行く！」

と来た。はせがわはじめパワーはすごい。兄ちゃんは困っていたけど、男らしく
「いや、今日は弟とふたりで遊ぶから。」

と言った。「今日は」というところが、ミソだ。女の子は「じゃあ、他の日なら遊べるの？」という期待を持つ。こうゆうところが「はせがわはじめパワー」なのだ。

「おとうと？」

その子は面食らったような顔をして、僕のことをじいっと見つめた。そして予想はしていたけど、切れ込み目を意地悪く光らせて、

「ふうん、似てへんなぁ。」

と言った。兄ちゃんは心底面倒くさそうに、でもきっぱりと
「似てへんくても、弟やねん！」

と言い僕の手をとると、彼女にぷいとそっぽを向いて歩き出した。それでもついて来たそうな

彼女に、

「しましまやないとあかん！」

とゆう、いまいち説得力の無い駄目押しの一言を言って、走りだした。兄ちゃんは速いので僕はついて行くのに必死だったけど、兄ちゃんと同じしましまの服を着ていることで、なんだか速く走れるような気がした。

彼女があきらめたところで僕らはやっと歩き出したけど、キリン公園は他の誰かに会いそうなので危険だということで、行くのはやめにした。その代わりに兄ちゃんが提案したのが「鐘の鳴る公園」だ。

これには僕は驚いた。

名前の通り毎日定刻通りに鐘が鳴るその公園は広くて、池なんかもあって、確かに「誰のものでも無い花」が生えていそうなところだけど、僕ら子供の脚では軽く一時間はかかりそうなところにある。僕らがそこへ行くときは、いつも父さんが車に乗せてくれた。

「でも、あっこ、車でしか行かれへんやろ？」

怖気《おじけ》づいた僕がそう言うと、兄ちゃんは
「道は覚えてるねん。」

と、自信たっぷりに言った。

「道？」

「うん。あのな、薫、ゆうすけ君ち行ったことあるやろ？」

「あのデブのゆうすけ君？」

「そう、サニースーパーの近くの。」

「うん、ある。」

「いっつも車あっこの前通るねん。」

「そやかて、そっから先の道分かるん？」

「ゆうすけ君ちを過ぎたら、そのまままっすぐ行くやろ？　ほんだら肉屋あるねん、変な豚の絵描いてるとこ。そこの角を曲がってな、ずうっとまっすぐ行くやろ？　ほんだら橋の下くぐるやろ？　ほんでからまたまっすぐ行って、どっかで曲がる。」

今から考えると、兄ちゃんの説明する「鐘の鳴る公園までの道」は、右に曲がるのか左に曲がるのか、どれくらいの距離まっすぐ行くのかにまったく触れていないし、挙句「どっかで」曲がるなんて、相当曖昧だけど、当時の僕にとって兄ちゃんはヒーローだったので、兄ちゃんの言う通りにしていれば、絶対に「鐘の鳴る公園」に着けるんだと思い込んでしまった。

「薫、行くか？」

「うん、いく！」

というわけで僕らは、キリン公園を過ぎ、鐘の鳴る公園目指して歩き出した。

おじいさん

先に結果を言おう。その日僕らは、妹のための花を見つけることは出来なかった。そして、生まれて初めてパトカーに乗った。

キリン公園に五時どころか、僕らは鐘の鳴る公園で、正確に六つ鐘が響くのを聞いた。

兄ちゃんに惚《ほ》れているあのおかっぱの女の子の情報により、近所の人総動員であらゆる公園を片っ端から探したばあちゃんは、僕らが誘拐されたのだという結論に達した。

スプレー菊の加藤さんが、

「鐘の鳴る公園は？」

と言ったのだけど、

「子供の脚で行けるとこやない。」

という大多数の意見で却下、やはり僕らは子供達だけでは到底出来ないことをやってのけたのだ。

初めての女の子の誕生をさんざん会社で自慢して、うきうきで帰宅した父さんが見たのは、家の前に停まっているパトカーと、「やれやれ」と優しい顔で笑っている近所の人達、大泣きしながら僕らを叱《しか》っているばあちゃん、そして泣きべそをかいてうつむいている僕らだった。

僕は妹に花をあげたかったこと、「誰のものでも無い花」を探しに行ったことを説明したかったのだけど、兄ちゃんはいくら怒られても男らしく、何も言わなかった。ただ
「ごめんなさい。」

とだけ言って、あとは口をぎゅっと結んでいた。

兄ちゃんは若干五歳、その小さな頭で、あることについて考えていた。


鐘の鳴る公園で、僕らはちょっと忘れられない人と会ったのだ。

公園に到着したときの僕らのしましまダウンは、冬だというのに汗と土汚れでどろどろ、僕の膝小僧は転んだときの傷で血が出ていたし、ほっぺたはそのときに流した涙でがびがびになっていた。兄ちゃんは転びはしなかったものの、近道をしようと入った藪《やぶ》で変なトゲが刺さって痛そうだったし、僕の前だから泣きはしなかったものの、道に迷った恐怖で、顔が真っ青になっていた。そう、僕らは当然のように道に迷ったのだ。どこをどう歩いたのか、奇跡的に大きな鐘の姿が見えたときは、半ば汚い野良猫のようになっていて、到着した喜びよりも先に、

「ここからどうやって帰ろう？」

という不安が頭をもたげていた。

公園には大きな池があって、池のまわりを取り囲むようにして遊歩道が続いている。池の側には小さな噴水があって、僕らが着いた頃、散歩に疲れた犬ががぶがぶと水を飲んでいた。

僕と兄ちゃんはとりあえず噴水で顔と手を洗い、しましまでごしごしと拭いた。顔を洗うとさっぱりとして、少し元気になった。家へ帰らなければいけないという大仕事を控えているけど、子供達だけでここまで来たという事実に僕らは得意になり、さっき大泣きしたことや真っ青になったことなど忘れて、また本来の目的、いもうとのための花を探すことにした。

遊歩道にはりんどうや野菊、スターチスなんかが咲いていて、花束にすると綺麗そうだったけど、整然と植えてあるそれはいかにも「誰かの花」っぽくて、僕らはもう少し林の奥へ進んだ。

「兄ちゃん、これは？」

「よう見てみい、木の札差しとるやろ？　名前書いてあるゆうことは、誰かのもんや。」

「そうか。」

林の中は昼間でも薄暗く、僕らが歩く度、土に帰りきれなかった枯れた木の枝で、ぱりぱりと乾いた音を立てる。所々ベンチが置いてあるのだけど、白いペンキははげているし、椅子《いす》のところまで雑草がぼうぼうと生えていて、とても座れそうに無い。時々バッタがぶうん、と僕らを追い越して、その跳躍力に僕らは歓声をあげた。

たまに雑草に混じって小さな小さな花やシロツメクサが生えているのだけど、小さすぎる花はいもうとが飲み込むと大変だし、シロツメクサは僕らがいつもおしっこをひっかける花だったので諦めた。

僕と兄ちゃんは時間が経つのも忘れて必死で花を探した。その頃家では、キリン公園に向ったばあちゃんが僕らがいないことに気付き、悲観的パワーを発揮して大騒ぎとなっているのだけど、そのときの僕らは、そんなこと知る由も無かった。

僕らが花を探すのに飽きて、百日紅《さるすべり》に登ったり、また立小便をして遊んでいるとき、兄ちゃんが、林の奥に固まって動かない、切り株みたいなおじいさんが座っていることに気付いた。

真っ黒いコートを着て、白と赤のアーガイルの毛糸の帽子を被っている。真っ白いあご髭が胸まで伸びて、杖《つえ》をついているのだけど、その手は木の皮みたいだ。僕らが見続けても、根が生えたようにぴくりとも動かず、何かをじっと見つめている。林は暗く、鬱蒼《うっそう》としているのだけど、おじいさんが座っているところだけぽっかりと夕陽（その頃にはもう、陽が傾きかけていた）が差し、そのままでいると、蒸発して消えていきそうだった。

「死んでんのかな？」

「しっ。」

おじいさんは、それこそ母さんのタロットカードで見た死神みたいな面持ちで、じいっとその場を動かない。おじいさんの右目は母さんが気に入ってつけている宝石くらい綺麗な緑で、左目はブロック塀みたいな灰色、両目の色が違う人なんて初めて見た僕は驚いて、じいっと見入ってしまった。おじいさんの目は大きくて、それをびっくりしたみたいに見開いているから、それはぽっかりと開けた滝つぼみたいに、いつの間にか僕を飲み込んでしまいそうだった。

僕がぼうっと見入っている間に、おじいさんはよっこらしょ、と立ち上がって、服についた土や草を払った。おじいさんがぱん、ぱん、と服を叩く度、見たこともないくらいのたくさんの埃《ほこり》があたりに飛び散るから、それを見ただけで、僕は咳《せ》き込んでしまった。

「なんやぼん、風邪ひいとんのか？」

突然おじいさんがそう言った。でも、まっすぐ前を見詰めたままそう言ったから、最初それが僕に向って言われた言葉だとは思わなかった。

さて、おじいさんは自分の体に蓄積された、大量の埃の存在に気付いていない。でも、まさか「あんたの埃を見てむせた。」

とは言えず、かといって風邪をひいているなんて嘘をついて兄ちゃんに心配をかけたくないので、僕はそのまま黙っていた。

「ぼん、何しとんねや？」

その言葉で、僕らふたりは自分達が何故「鐘の鳴る公園」に来たのか、その目的をやっと思い出した（実は遊ぶことにかまけて、目的を忘れていたのだ）。

思い出した後は、また誇らしげな気持ちになって、話し相手を見つけたとばかりにおじいさんに矢継ぎ早に話した（主に話したのは兄ちゃんで、僕は兄ちゃんの言葉の端々で絶妙な合いの手を入れただけだけど）。

おじいさんは親指の付け根のすりむけた皮をずっと撫でさすっていて、僕らの話を聞いてないみたいだったし、時々お門違いなところで
「ほうか。」

という相槌《あいづち》を打つので、僕は兄ちゃんの話がきちんと伝わっているのか不安だった。でもおじいさんは、僕らの話が終わると、猫がするみたいにゆっくりと背中を伸ばして、風の匂いをうんと嗅いでから、

「そらぼん、ええことやなぁ。」

と言った。

「ぼんらに、妹、生まれんのやな？」

「うん。」

「ほうか。」

おじいさんはその枯れ枝の手で自分のあご髭を撫でて、満足そうに目を細めた。そして、ちょっと息を吸い込んでからこう言った。

「あのなぁぼん。この世界にあるもんはな、ぜえんぶ、誰かのもんやねんで。」

その言葉は、僕らを心底がっかりさせた。僕らの今までの数々の危険や冒険が、全て無駄になってしまう言葉だ。この公園にある花も、加藤さんのスプレー菊や三宅さんのアルストロメディアみたいに、誰かのもので、それは僕達が摘んではいけないものだということだ。僕はちらりと

兄ちゃんの方を見たけど、兄ちゃんもショックを隠しきれない様子で、僕の手をぎゅっと握った。

おじいさんは、右の耳を僕らの方に向けていて、それは随分黒く汚れていたけど、大きく横に広がっていて、僕らの様子を窺っているみたいだった。おじいさんは僕らの方を一度も見なかったけど、僕らのショックを分かったのか、ちょっと優しい顔で笑って、今度はこう言った。

「でもなあ、この世界のもんは、ぜえんぶ誰のもんでも無いんやでぇ。」

僕らは、完全に困ってしまった。この世にあるものは全部誰かのもので、全部誰のものでもない。スプレー菊は加藤さんのもので、でも、加藤さんのものじゃなくて、庭に咲いている花は母さんのもので、でも、母さんのものじゃない。僕のこの血の滲《にじ》んだ膝小僧も、兄ちゃんの赤いほっぺたも、僕と兄ちゃんのもので、でも誰のものでもない。その頃から兄ちゃんは、じいっとうつむいてしまった。考えるときの、兄ちゃんの癖だ。おじいさんは自分が言った一言が、僕らを大混乱に陥れていることに気付いていないのか、おかまいなしで話し出した。

「わしはなぁ、もう、八十年も生きとる。」

僕はその当時、やっと自分の年齢がもうすぐ四つであるということを正確に把握したばかりで、しかも十より上は数えられなかった。だからおじいさんの言う八十年が、どれくらいかは分からなかったけど、おじいさんの枯れ枝のような手や、流れ星みたいに伸びた真っ白い髭を見て、きっと途方も無く長い時間なのだということは分った。

「八十年生きてなぁ、こうやって、お陽ぃさん浴びてるとなぁ、」

おじいさんの周りには、さっき払った埃がふわふわと舞っていて、こそこそと内緒話をしているみたいに見える。

「ああ、ぜえんぶわしのもんで、なぁんにも、わしのもんは無い思うんや。」

おじいさんはブロック塀の方の目をつむって、眩しそうに太陽を見た。

「この光も、空も、水も、なあ。」

もちろん花もな、とでも言いたげにおじいさんは僕らを見て、でもその目は僕らを通り抜けて、もっと大きな、よく分らないけど、ゆっくりと動いて行く何かを見ているみたいだった。それで僕は、おじいさんの目が見えないことに気がついた。

「わしの目えはな、見えへんねや。何十年、空や海や、ごっつい建物やべっぴんさん見とった目えがな、ある日、見えへんくなったんや。」

おじいさんはごしごしと自分の目を、今では見えなくなったその目をこすった。

「そらなぁ、辛かった。」

遠くにパトカーのサイレンが聞こえた。おじいさんは目をこするのをやめて、音のした方にふと顔をやったけど、また空を見て、ゆっくりと話し続けた。

「でもなぁ、わしのこの目えはな、わしのもんやけど、ああ、わしのもんや無い思たんや。神様に返すんやてなぁ。わしはもう、山も星も見ることは出来へんけど、山の裾野がな、こう、どんな風に曲がってるかを覚えてるし、星のな、その形は見えんでも、光を感じることが出来る。わしは目え見えへんけどなぁ、ぜえんぶわしのもんに出来るし、ぜえんぶ誰かに返すことも出来るんや。」

僕はおじいさんが言う意味を、そして見つめているものを、父さんがひとりでチェスをやっているときみたいに、首をかしげていっしょうけんめい考えた。

「ぼん、だからなぁ、生きていけるんやで。」

サイレンが近くなってきた。その頃には僕らは、そのサイレンが僕らを目指していること、そしてきっと、ばあちゃんや父さんに大目玉を食らうことが分っていた。でも僕らは、おじいさんのアマゾン川のように縦横無尽に刻まれた皺《しわ》や、僕らよりうんとうんとたくさんのものを見てきた、今では使えなくなった瞳をじいっと見つめていた。

僕らの側を通り過ぎる風は、すでに夜の匂いを運んでいて、木にとまっていた虫たちが地面に帰りはじめた。鳥たちはそろそろ羽を折りたたんで、来るべき明日のために喉を鳴らしていたし、何より太陽が、また違う誰かを照らしにゆっくりと移動を始めた。

兄ちゃんは、側に生えてあるシロツメクサを指差して、

「これは、みんなのものやし、」

そしてゆっくりと空気を吸い込んで、

「誰のものでも無いんやな？」

と言った。おじいさんは、翳《かげ》りを帯びて深い緑になった右目と、夕日を変な具合に吸い込んで

ほとんど真っ白になっている左目を、嬉しそうに細めた。

「そうや。」

兄ちゃんはそれを聞くと、おじいさんがしたみたいに、ううんと背中を伸ばし、空を見上げた。太陽は今や西の空の全てを覆い尽くして、まさに僕らに「さよなら」を言うところだった。兄ちゃんは大急ぎで次の仕事場に向う太陽を、どこかの国の王様みたいに満足そうに見つめて、独り言みたいに言った。

「そうか。」

初めて憧れのパトカーに乗ったのに、僕らはとても静かだった。
公園で僕らを見つけたおまわりさんは、僕らに質問の嵐を投げかけた。僕らは背の高いおまわりさんに見下ろされて、なんだか随分悪いことをした気分になった。うつむいた僕らにおまわりさんが優しく
「ずっとふたりでいたの？」
と聞いたけど、その言葉で僕らはおじいさんがここにいないことに気付いた。さっきまでおじいさんがそこにいたはずの場所には、葉のすべて抜け落ちた木と、そのかわりみたいに小さい葉のいっぱいついた花が、風に揺れているだけだった。でも僕らは、おじいさんが確かにそこにいることを感じたし、そしておじいさんの体がどこか遠くにあることも分った。おじいさんの体は、

とても優しいどこかに帰って行くんだ、そう思った。

怖くて怖くて、夜中にトイレにひとりで行けなかった僕らだけど、そのときはちっとも怖くなかった。

それはとても不思議な感覚だった。そのとき突然、僕らは何かとても大きなものに包まれていると思ったし、同時に、誰の力でもなく、自分達の足で、今ここにしっかりと立っているんだと思った。僕らの前にはとてつもなく長い何かが横たわっていて、それは僕らをおびやかしたり慰めたりするけど、それは全て僕らのものだし、そしていつか、何かに帰って行く。そのときが来るまで、僕らはいっしょうけんめい花を見よう、匂いを嗅ごう、妹を可愛がろう。僕らの小さな頭は、生まれて初めてフル回転していた。何か目の前が、ぱあっと開けて行く感じだった。

おまわりさんは、何かをじっと見つめている僕らふたりを怪訝《けげん》そうな顔で見て、それから、

「おうちに帰ろう？」

と言った。

ミキ

「鐘の鳴る公園事件」から向こう三ヵ月、僕らは外で遊ぶことを禁止された。でも、それは僕らにとって何の罰にもならなかった。

「いもうと」がやってきたのだ。

初めて見る女の子の赤ちゃんは、触るとふにゃあっとその形を変えてしまいそうなほど柔らかくて、牛乳にハチミツを入れて温めるときみたいな、甘くて、それでいて頼もしい匂いがした。「生きている匂いだ。」と思った。

金平糖みたいな小さな小さな手には、貝殻みたいな爪がきちんと十個くっついていて僕を驚かせたし、ふわふわと生えた金色の髪の毛は風が吹くと消えて無くなりそうだった。

時々ふわあっと幸せのあくびをして、そのときにちらりと見える真っ赤な舌は、見たことも無い美味しそうな果物みたいに僕を魅了した。

「外から帰ったら手を洗いなさい。」

という母さんの言いつけをなかなか守らない僕でも、いもうとの部屋に行くときだけは、手首や爪の中までしつこいくらいに洗ったし、いもうとに話しかけるときはコマドリが内緒話するくらいの小さな声で話した。

いもうとは僕のことをたまにじいっと見つめるから、嬉しくなって

「何？」

なんて言うけど、次の瞬間にはもう別のところを見ていて、それはもう熱心に見ているので何

を見ているのかとその方向を見ると、まるでひらひらと飛ぶモンシロチョウを追っているみたいに、また別のところを見ている。まるで、見るもの全てを飲み込もうとしているみたい、それはとても欲張りな視線で、でも、あまりにふわふわと移り気だから、何も欲しくないようにも見えた。

いもうとの名前を決めるという名目で、長谷川家初の家族会議が行われた。

真ん中にいもうとを抱いた母さん、その口はいつも優しく口角を上げていて、目は周りのものへの愛しさで潤んでいる。撫で付けた髪の毛は世界中で一番黒く輝いていたし、その鼻は周りの人の悲しさをすぐに嗅ぎ分けて、そしてその悲しみを一瞬で和らげる手を持っていた。世界で一番幸せな母親は、お正月に餃子を口いっぱいに頬張る、ハンサムで優しい父親に愛情をこめて笑いかけ、僕ら兄弟は幼いなりに、両親が愛し合っているのだという安心感で、心底寛いだ欠伸をした。

美貴という名前を決めたのは、父さんだった。実はそれは会議を開くまでもなく決まっていたことで、ミキを初めて見た父さんは、ミキそのものの美しさや貴さはもちろん、世界で何より、小さな頃の思い出や、輝ける未来や、華々しい名誉よりも何より大切に思っている女の人が、自分の子をこの世に誕生させる、しかも家には素晴しくやんちゃな男の子がふたりも、今か今かと妹の到着を待っているという、そのあまりにも優しく、奇跡的な日常に驚いて、

「なんて美しくて、貴いことだ。」

と言い、そして、大きな声で泣いた。その泣き声は男泣きというにはあまりにも無邪気で、まっとうで、病院中に響き渡るそれを聞いた他のおかあさんたちの瞳をじわりと湿らし、まだ見ぬ赤ん坊を起こしてしまったほどだった。

母さんが世界で一番幸せなら、父さんは宇宙で一番幸せな男だった。

実体の無いもの

赤ん坊というのは、その弱さで一人では決して生きられないから、神様が天使のように愛くるしく作ったのだという話を聞いたことがある。そのあまりの可愛さで、周りの人が思わず面倒を見てしまうように作ったのだと。その話が本当でも嘘でも、ミキは生まれながらに、周りの人をどきどきと落ち着かなくさせ、同時に、じっと見ているとあまりに温かい気持ちになって涙ぐんでしまうような、そんな不思議な力を持っていた。ミキはまさに、周りの人すべての愛情を一身に受けて育った。

僕なんて、隣の部屋でミキが、どこかの国で夏になったら一番に取れるぶどうみたいな口から、日向《ひなた》の匂いのする息を吐き出したり吸い込んだりしていると思うだけで眠ることが出来なかったし、ばあちゃんに外出を禁止されていたとはいえ休みの日はごはんを食べるときと、トイレに行くとき以外をずうっとミキの顔を見ることで過ごした。保育園のある日は、朝はトーストを食べながら時間ぎりぎりまで（よく母さんに怒られていた）、終わった後は先生が

「皆さんさようなら。」

と言う、その二度目の「さ」あたりでもう教室を飛び出して、大慌てで帰ってきた。

兄ちゃんはそろそろ男の子として格好つける年頃になっていたし、僕に続く二人目の赤ちゃんなので、

「薫のときとおんなじ匂いや。」

なんて経験者の余裕を見せて、僕みたいにミキの側を離れないなんてことはなかった。それでもミキが泣き声をあげたら部屋に走って行ったし、ミキにじいっと見つめられて、すごく嬉しそうな顔をした。

金色だったミキの髪が、母さんと同じように真夜中の黒になって、どこを見ているか分からなかった目が、その焦点をしっかりと合わすようになった頃、ミキはその大きなお尻をよっこらしょ、とあげて、早々に二足歩行を始めた。

最初にそれを目撃したのは僕だ。兄ちゃんはミキへの愛情を、そろそろ他のもの、月組の美人な先生や、新しいグローブや、木を蹴っ飛ばしたら落ちてくるカブトムシなんかに注ぎだしたけど、初めてミキが

「まんま。」

と話し出した日も、ぐらぐらだった首をしっかりと据わらせた日も、偶然側にいたことで相当満足していた。でも、ミキが立ち上がったその日は、近所の男の子と、家の裏で戦争ごっこをしていた。兄ちゃんが好んでやったのは、「パラシュート部隊」というやつで、それはただ塀から飛び降りるだけの遊びだったけど、首に巻いた風呂敷や、開いた傘が次々と宙を飛ぶ様は、青い空にきらきらと反射して、見ているととても頼もしい気持ちになった。

その日、いつもなら兄ちゃんと遊んでいる時間にひとりになって、僕は退屈していた。母さんがミキを抱いて居間でテレビを見ていたけど、あまりの幸せにうつらうつらと居眠りを始めた。ミキは父さんとばあちゃんが買った可愛らしい女の子のおもちゃに全く興味を示さず、僕のミニカーを驚くほどの正確さでドアに投げつけたり、兄ちゃんのキン消しを口いっぱいほおばったり、どちらかというと男らしい、ダイナミックな遊びを好んで、両親をはらはらさせていた。

その日もスリッパで自分の太ももや床をばしばしと叩き、その乾いた音に満足そうに目を細めていたけど、ふと、その動きを止めた。居間のテーブルで、コップの底に溜まっていたミロを指ですくっていた僕は、いつも音を立てているミキが、急にしいんと静まり返ったので、そちらを見た。

ミキは、まるで初めて飛行機を見たマサイ族の男の子みたいに、ぽかんと口を開けて窓の外を見ていた。ここ最近しっかりと母さんや僕らの目を見るようになったミキだけど、そのときはあ

の、いないはずのモンシロチョウを見るやり方で、ふわふわと視線がおぼつかなかった。どうしたのかと思った僕が
「ミキ？」

と呼んだそのとき、ミキは立ち上がった。

僕は、自分が立ち上がった瞬間のことなんて覚えていない。でも、赤ちゃんが初めて立つのには、相当の努力が必要だと思う。そして例えば最初は壁づたいにだとか、母親に支えられてだとか、とにかく何かの支えを必要とするはずだ。

でもミキは、いとも簡単に立ち上がった。もちろん床に手をついて立ち上がったのだけど、それは赤ちゃんが一生懸命体を支えるというよりは、ばあちゃんが億劫《おっくう》そうに立ち上がる、それに似ていた。

「どっこらしょう！」

という感じだった。

すっくと床に両脚をつけて立ち上がったミキは、腕を伸ばして、驚くことにとことこと歩き出した。明らかに何かをつかまえようとしている、そんな歩き方だった。

呑気《のんき》な母さんが目覚めたのは、ミキがソファに激突するぶふうっという音と、僕の
「ミキ！」

という大声、実はそれだけでは起きなくて、僕の大声を聞いたばあちゃんが、またネガティブ

な想像をして走りこんできたからだ。

ソファに激突しながらも、ミキはまだ何かを見つめていた。結局そのときミキが何を見つめていたのか分らないけど、大きくなってミキにそのことを聞くと、ミキはそのことは覚えていると言い、兄だけではなく妹までもが天才的な記憶力を持つことに僕は驚き、同時に何も覚えていない自分が恥ずかしくなった。

まったく僕の兄妹は、普通じゃない。

その日は赤飯だった。我が家はめでたいことがあると、ことあるごとに赤飯を炊く（サクラが初めて鳴いた日も赤飯だ）。たまに庭のえんどう豆が芽を出したとか、僕の体が大きくなって、兄ちゃんのお古を着れなくなったとか、本当に他愛の無いことで炊くので、いつしか僕らは食卓に赤飯が出ても、

「何のお祝い？」

と聞かなくなった（でもそのお陰で、ミキが少し早めの初潮を迎えた日も、気まずい夕食をとらずに済んだ）。

兄ちゃんはミキが二足歩行を始めるという歴史的瞬間に立ち会えなかったことで、相当悔しそうだった。僕にそのときのことを事細かに聞いては、机を叩いて悔しがったり、何せ忙しかった。

当のミキは一度歩いてから、その後二ヵ月ほど全く立ち上がらないという気まぐれを見せるのだけど、再び歩き出してからは、そのダイナミックな遊び方に野性的な一面を加え（植木の土を

食べる、ごきぶりを捕まえるなど）ますます両親やばあちゃんをハラハラさせた。

ミキが立ち上がった一年後、ばあちゃんが死んだ。僕らのこと以外には相当楽観的だったばあちゃんは、自分の体が癌《がん》に侵されていることに気付かなかった。

ばあちゃんは入院してから三ヵ月後、

「家族、仲良うしいや。」

という言葉を残して、誰にも迷惑をかけずに静かに死んでいった。

僕はそのとき、人の死というものを、初めて目の当たりにした。葬式で見たばあちゃんは、真っ白で、薄っぺらくて、ちょっと人間じゃない感じだった。

「ありゃあ！　どこ行くんやぁ！」

そう言って僕らを追いかけてきた、あのばあちゃんとは別の何かが、ただただそこに横たわっている感じだった。ばあちゃんはうっすらと口を開けていて、そこから覗く歯が、蠟燭《ろうそく》みたいに白く光っていた。

兄ちゃんはそのときリトルリーグに入っていて、ランニングホームランを狙《ねら》って突っ込んだホームで骨折、右腕を包帯でぐるぐる巻きにしていて、お焼香を左手でやりにくそうにしていた。それから兄ちゃんは両利きになる練習を始めて、それはそれは器用に左手を使うようになるのだけど、そのときはたくさん並べられた料理も、とても食べにくそうにしていた。

涙声で話を続ける大人たちから離れて、僕と兄ちゃんはミキを連れて斎場の外へ出た。

ミキは初めて着る、真っ黒いベルベットのワンピースが窮屈らしく、しきりに脱ごうとするので、それを僕が慌てて止めた。僕らは煙突から出る、灰色がかった煙を見つめて、人が死ぬというのは、こうゆうことなんだと思った。

真っ白くて、薄っぺらで、そして煙のように実体が無い。

恐らくばあちゃんであろう煙が、空へ昇って行くその様子をじっと見て、兄ちゃんは
「ばあちゃんも、帰って行くんや。」

と言い、言ってから、ちょっと泣いた。僕らはそのとき、あの、鐘の鳴る公園のおじいさんを思い出していた。この世にあるものは、全て誰かのもので、誰のものでもない。ばあちゃんの作ったオムライスも、その体さえも。風が吹くたびに、頼りなくその姿を変えるばあちゃんの煙は、今少しずつ、どこかに帰ろうとしていた。

空は絵の具から搾り出したみたいな青で、ばあちゃんが死んだことなんて、何も知らないみたいだ。ミキが泣いている兄ちゃんを見て、ぽかんとしていた。初めて立ったときの顔だった。

勇気あり

兄ちゃんが「はじめレジェンド」を作ったみたいに、ミキも幼稚園で、ちょっとした有名人になった。でもミキのそれは、兄ちゃんとは少し違っていた。

兄ちゃんはそのモテぶりで伝説を作ったけど、ミキは、モテプラス乱暴者ぶりで名を馳《は》せたのだ。

気に入らないことがあると、僕らとのキャッチボールで養った正確なコントロールで、すぐ物を投げる。それは上履きだったり給食のプラスチック容器だったり、とにかく自分の身近にあるものを片っ端から投げるのだ。

近くにいる人は、殴る。女の子お得意の、髪を引っ張る、ひっかく、つねる、とかそうゆうのじゃなくて、きちんとグーで殴る。しかも振り切る。ボクサーのそれだ。たまに相手の顎《あご》を軽くかすめて脅したり、よけられないように足を踏んづけてなぐったり、大人顔負けの高等テクニックを駆使した。担任の先生が

「ミキちゃんが時々怖くなる。」

と、他のクラスの先生に相談をもちかけ、ノイローゼ寸前だったというのもうなずける。兄ちゃんはその愛くるしさと素直さで先生に大人気だったけど、ミキは逆で、先生に一番嫌われるタイプの女の子だった。

ミキは幼いのに「綺麗な」という表現が似合う美しい顔立ちで、もしかしたら同じ女同士、先生はミキに嫉妬《しっと》したのではないかと思うほど、ミキへの当たりが厳しかった。痔《じ》持ちのおばあさんみたいに、ミキが椅子に座るのを辛そうにしていることがあって、それは給食で出たスイカの種をぷっと飛ばしたら絵本でさんざっぱら叩かれたからだし、お遊戯のお稽古《けいこ》のときふらふらと皆と違う動きをしたら、お稽古の間中運動場に立たされた。その日は冬の寒い日で、空にはちらちらと雪さえ舞っていて、当然ミキは大風邪をひき、一週間ほど寝込んだ。兄ちゃんと似てミキの格好いいのは、そうゆうことを絶対に両親に言わないところだ。今から思えば明らかに問題になるような青痣《あおあざ》を作って帰った来たときも、

「いやあ！　可愛そうに！」

と焦る母さんや、

「誰にやられたんや!?　誰や？」

と、もうすでに復讐《ふくしゅう》を考えている父さんにも、何も言わなかった。口をぎゅっと結んで、おもむろに冷蔵庫なんかを開けたりする。ただ、僕と兄ちゃんにだけは本当のことを喋った。それはもう機関銃のように話して、でも時系列がバラバラだったり突然知らない子の名前が出てきたり

で、あんまり言っていることは理解出来なかった。それでも兄ちゃんはミキの頭を撫でて（ミキの頭に触れることが出来る異性は、この世で父さんと兄ちゃんだけだった。それ以外の男の子が触ろうとすると、ミキお得意の右フックをお見舞いされるのだ）、

「よう我慢したな。」

と褒めた。

実際ミキほど我慢の足りない女の子はいないのだけど、兄ちゃんに褒められて、ミキは心底嬉しそうな顔をした。かっこよくて優しい兄ちゃんはミキの全てで、兄ちゃん以外の男はミキに言わせれば「うんこ」だった（ちなみにミキは僕のことを「ごまめ」と言った）。

ミキはその美しさで、男の子達からひっきりなしにお誘いがかかった。ミキとブランコに乗りたい、その柔らかな背中をそっと押したい、砂場で一緒に泥団子を作りたい、しゃがんだミキのスカートの中が見たい、男の子達はそんなことを切実に願って休み時間の度に「星組」のドアの前に立つ。ミキはその様子にちらりと一瞥《いちべつ》をくれ、全く興味が無いように、オルガンを独り占めにして弾いている。ミキの無法者ぶりを知っている星組の面々は、ミキがオルガンに飽きるまで辛抱強く待っている。

ミキが、並み居る男の子達に興味が無い顔をしてオルガンを弾くのは、誰かの気をひこうとしているのじゃなくて、いつか兄ちゃんに聞かせるためだし、先生にお尻を叩かれている間、少しも声をあげずじっと耐えているのは、悔しいからじゃなくて、兄ちゃんに褒めてもらいたいから、

そしてブランコに乗ってぼうっとしているのは、悲しいからじゃなくて、兄ちゃんのことを思ってうっとりしているのだ。

ミキの生活の全ては兄ちゃんを中心に回っていて、感情の全てを兄ちゃんに左右されていた。そのぼんやりとした様子は周りの男の子の心を波打たせ、皆はますますミキに夢中になった。男はいつだって、猫みたいに不思議な女の子に惹《ひ》かれるものだ。

兄ちゃんは兄ちゃんで、いつでも自分の後についてくるこの小さくて美しくて、頑固な女の子が可愛くて仕方ないらしく、子供らしからぬ大きな愛情でミキを包んだ。遊ぶところどこへでも連れて行ったし、たとえそれがミキの力では出来ない遊び（野球だとか相撲、木登り）でも、絶対に仲間に入れてあげた。僕のことも連れて行ってくれたけど、僕は根性が無いので辞退することが多かった。

当時兄ちゃんの仲間内で流行《はや》っていて、僕がまっさきに辞退した遊びに「勇気あり」というものがある。犬のうんこ（なるべく出来たてのやつだ）に、爆竹を刺す。ここまでは大概の日本の男の子はやっていると思うけど、「勇気あり」は一味違う。爆竹を刺して、今まさに爆発しそうなそれを囲んで、ぐるりと円陣を組むのだ。当然爆発するまでに怖くなって円陣から抜ける奴もいて、そいつは根性なし、最後まで残った奴がヒーローだ。簡単に言えば、「うんこチキンレース」。

ミキはなんと若干五歳で最後まで残るという偉業をなしとげた。小学校の屈強な男達に混じって、明らかに皆よりうんこに近い位置にいるミキは、兄ちゃんと、山下君というリトルリーグのキャッチャーと最後まで残り、まさに顔中うんこまみれになった。
兄ちゃんたちはTシャツについたそれを水道で洗えばすむけど、ミキは勝手が違う。うんこの臭いにゲロを吐く寸前だったけど、兄ちゃんの
「すごいやろ？　俺の妹やで！」
という嬉しそうな言葉で気を取り直して、
「ちょっとお風呂に入ってくる。」
とさらりと言い、颯爽《さっそう》とその場を去った。家で散々母さんに
「いやぁ！　どないしたんどないしたん。」攻撃を浴びせられたけど、それでも何も言わず黙々と体を洗い、さっぱりしたところでまた兄ちゃんのところへ行き、懲《こ》りずうんこに爆竹を刺した。

フェラーリ

当時僕らの間で、「フェラーリ」と呼んでいた、恐怖の男がいた。その人は一号公園の近く、大きな楡《にれ》の木が植えてある広場にいて、それは昔団地の人の駐車場だったのだけど、新しい駐車場が出来てからは乗り捨てられた自転車だとか、ぼろぼろになった廃車だとかが放置されていて、

ちょっと異様な雰囲気だった。

フェラーリは、いつもその廃車の間をうろうろと歩き、時々鉄パイプを拾っては頭上でぐるぐると振り回し、意味の分からない奇声を発した。

髪を「間違った」みたいにぐちゃぐちゃに切っていて、それは所々かりんとうみたいに束になっていた。目は殴られたみたいに腫《は》れていて、太陽が昇るところも沈むところも見たがってるみたいなあべこべの目だった。一番恐ろしいのが鼻で、何てゆうか、そこにはブラックホールみたいな、恐ろしく大きな穴があった。人間にはあるまじき大きさ、そこら中にある酸素をひとり占めしようとしてるみたいだ。なのにフェラーリはいつも苦しそうにぶひぶひと息をしていた。空気が足りない、足りないと言ってるみたいなその大きな呼吸音が聞こえると、僕らはフェラーリが近くにいるという危険を察知した。

フェラーリという名前の由来は、年がら年中「フェラーリ」のTシャツを着ていることと、その驚くべき脚の速さにあった。僕ら子供がフェラーリをからかうと、

「なんじゃこらあっおうっうどぅっうるらあああ………!」

と、肉食獣の叫びを発しながら、猛ダッシュで追いかけてくる。それはまさに、ライオンがシマウマを追い詰めるときのスピード、よく見ると下駄を履いているのが、彼の天才的な足の速さを物語っていた。僕ら子供達はまともに走っていると捕まるので、フェラーリのスタートダッシュを見ると、慌てて近くの木に登った。

フェラーリは、自分の背より高いところにあるものは認識出来ないという不思議な障害を持っていた。いつも下を見て歩いて、たまにまっすぐ前を見たり上を見たりするのだけど、ぶるぶると頭を振って、すぐに下を向いてしまう。それはまるで空を見上げると太陽に吸いこまれてしまうと思っているみたいな様子だった。

当然フェラーリは木登りが出来ないので、木の上から

「ひゅーん！」

と、エフワンのマシンが通り過ぎる音を真似してからかう僕らの姿を認識することができなかった。でもその声に対して、まるで目の前に敵を見つけたかのように

「おどれらっうふぉうっうるらあああああ！」

と、鉄パイプを振り回しているのだった。

この恐るべき男も、「勇気あり」のリストに加えられた。

「うんこチキンレース」ならぬ、「フェラーリチキンレース」、つまりどれだけフェラーリに近づけるか、走ってくるフェラーリをぎりぎりまで待って木の上に登るかを競うのだ。

大概は皆、フェラーリが振り返ってこちらに走り出した時点で、その形相の恐ろしさとスタートダッシュの凄《すさ》まじさにびびって逃げ出してしまう。兄ちゃんも、フェラーリがあと一五メートルほどのところに来た時点で走った。最高記録を作ったのは何故か卓球クラブの望月君という奴で、フェラーリがあと五メートルのところでダッシュ、木に登るときにパーカーの裾を摑《つか》まれる

という恐ろしい体験をしたけど、その後しばらく望月君はヒーローだった。

さすがに兄ちゃんは、このレースにはミキを参加させなかった。ミキは女の子の中でも脚が速かったけれど、フェラーリの脚の速さは半端じゃなかったし、何せ鉄パイプを持っている。うんこまみれになるのとはワケが違うのだ。

とはいえ、ミキは相当負けず嫌いだったので、兄ちゃんたちがミキを仲間に入れず遊んでいるということを知ったら、必ず
「ミキも！」

と言うに決まっている。兄ちゃんは「フェラーリチキンレース」だけは、ミキに内緒でするように注意を払っていた。

ある日家でテレビを見ていた僕に、ミキが
「お兄ちゃんは？」

と聞いた。僕はその日兄ちゃんに例の遊びをすることを聞いていたので、

「さあ。」

と知らないふりをした。ミキは、つまらなさそうに僕と一緒にテレビを見ていたけど、やがて我慢出来ないという風に立ち上がって、

「探してくる！」

と言った。僕は慌てて

「兄ちゃんはきっとまだ学校や。」

とか、

「もう帰ってくるって。」

などと言ってミキをなだめたけど、ミキはそんじょそこらの頑固者じゃない。一度決めたことは、嵐がやって来ようがすっぽんに噛み付かれようが、最後までやりとげる。制止する僕を振り切って、お気に入りの長靴（ミキは晴れの日も長靴を履いていた）を履いた。

僕は正直面倒くさかったし、テレビでやっている時代劇の続きが気になったけど、ミキを放っておくのも兄ちゃんに顔向け出来ないような気がしたので、ミキに付いて行くことにした。

ミキはキリン公園や小学校の校庭など、いつも兄ちゃんが遊んでいるあたりを重点的に探した。僕は兄ちゃんたちが一号公園近くにいることは知っていたので、なるべくミキがそちらに向わないように、さり気なくルートを決めて行った。

ちょうどいいことに、一号公園はフェラーリがいるという件で、大人達から近づくなと言われていたあたりだった。兄ちゃんはミキをそこに連れて行ったことはないし、ミキも兄ちゃんがまさか一号公園にいるとは思わなかったようだった。

ミキがそこいら中を探しあぐねた頃、僕はミキに帰ろうと提案した。納得がいかないようだったけど、思いつく限りの場所を探したから、さすがのミキも諦めざるを得ないようだった。

僕が歩き始めると、ミキは後ろからとぼとぼと付いてきた。時々子供達の歓声が聞こえると、そちらの方をじっと見て、兄ちゃんの声がしないか耳を済ませたりしていたけど、そこには兄ちゃんはいなくて、またしぶしぶ歩き出す。

青木さんちの近くまで来て、やれやれもう家だぞと僕がほっとしていたとき、久しぶりに「難関」に会った。僕らがミキの花を探しに行くときに会った、あのおかっぱの女の子だ。彼女は、ランドセルを背負うには少し大きい体、膨らみ始めた胸やぽってりと肉が乗ってきた丸い腰、ぽちゃぽちゃと柔らかい二の腕を持っていたけど、やっぱり頭はおかっぱで、切り込まれた目もあの日のままだった。驚くことに彼女は幼稚園から小学校の六年間、ずっと「はせがわはじめくん」に恋をしていて、バレンタイン、誕生日、クリスマスなどのイベント毎《ごと》に欠かさずプレゼントを持ってきたし、僕らの家の周りをうろうろして、偶然兄ちゃんに会うという機会を窺っていたのだ。

何となく嫌な予感がした僕は、曖昧に会釈なんかして、ミキの手を引いて歩き出した。「難関」(僕らはいまだに彼女の名前を知らずにいた)は、ミキを見て嫌な顔をした。それはミキが兄ちゃんに近づく女の子に唾《つば》をかけたり死んだカエルを投げつけたりするからで、確か「難関」は水に浸したティッシュペーパーを思い切りおでこに命中させられ、べちゃべちゃと皮膚に張り付くそれの正体が分らず、パニくってこけた。

彼女は僕のことを見てにっこり笑った。

「薫君、元気?」

「難関」はその頃には相当「女」になっていて、好きな人の弟を手なずけて、その弟が兄に
「あの人、いい人だよ。」
なんて宣伝してくれるのを狙うまでになっていた。そして僕のことを自分の弟のように可愛がることで、まるで兄ちゃんと夫婦であるような気分を味わう。僕はその後、何人かの兄ちゃんの女友達から
「薫、彼女出来たの？」
だとか
「細いなぁ、ちゃんとごはん食べなきゃ駄目よ！」
なんて姉ちゃんヅラされることが多々あったけど、まったく女の子というものは不思議だ。
さて「難関」は、僕のことを
「似てへんなぁ。」
なんて意地悪く見たことも忘れて、今にっこりと愛想を振りまいている。僕も随分大人になっていたので、
「元気です。」
と軽くいなし、そそくさと家に入ろうとした。「難関」は細い目をきらりと光らせ、さり気なさを装い、お決まりの一言を口にした。
「一君は？」

ミキはその言葉に反応したのか、すでに何か投げるものは無いかあたりを探し始めていて、僕をひやひやさせた。僕は何とかこの場をやり過ごそうと、シラを切った。

「知りません。」

「難関」はあっさり会話が途切れて、「長谷川君」の家族との繋《つな》がりが切れるのが嫌だったみたいだ。年上の女の余裕を見せ、嫌々ながらご機嫌を取ろうと、ミキに笑いかけた。

「ミキちゃん、いくつになったのぉ？」

ミキは「難関」の笑顔を思い切りしかとし、長靴を脱いで、その中に砂や石を詰め始めた。まさかこれを投げる気じゃないだろう、と僕がはらはらしていると、しかとされてむっとした「難関」が、厄介なことに変な女の意地を見せた。

「最近、一君危険な遊びしてるんよねぇ。」

ミキが手を止めて「難関」を見ると、彼女は「あら、知らないのぉ？」という顔で笑った。何度でも言うけど、女の子はたちが悪い、ほんとに。

「危ないから、ミキちゃんも薫君も注意してあげてなぁ。」

出た、嫁さん気取りだ。例の遊びのことを言ってるのだろうと僕が慌ててミキの手を引っ張って連れて行こうとしたけど、兄ちゃんのことになると意地も何もあったもんじゃないミキが、

「それ何？」

と「難関」に聞いた。「難関」は自分だけが知っているであろう「はせがわはじめ」にうっとり

として、「あら、知らないのぉ？」顔をキープ、体をくねくねしてなかなか答えなかった。

「それ何？」

ミキの右手にはすでに、石のたっぷり詰まった長靴が握られていて、僕はミキが投げる前に早く言ってくれと思う気持ちと、どうか言ってくれるなと思う気持ちがごちゃまぜになり、半ばパニックになっていた。

でもそれは、すぐに結論を見せた。もったいぶった「難関」が、

「知らんのぉ？　最近一号公園で……。」

と言ったその最後を聞くまでもなく、ミキはすぐさま駆け出して、後には長靴から落ちた石や ら砂だけが残った。

あまりに一瞬の出来事に頭がぼうっとしていた僕が、慌てて後を追ったときはもうすでにミキの姿は見えなかった。血まみれのミキ、地面に転がる鉄パイプ、返り血を浴びたフェラーリ――。僕は死んだばあちゃんのネガティブシンキングを受け継いだようで、これから起こるであろうことを色々と想像しては、パニックで脚がもつれた。悪いことに「難関」が僕の後ろをぴったりキープして走っていて、しかも
「すう、すう、はー。」

と、二回すって一回吐くマラソンのやり方で走っているので、変に焦らされて、ますます上手く走れなかった。

僕らが一号公園に着いたときは、まさに修羅場だった。

フェラーリが走り出したちょうどそのとき、ミキがフェラーリの行く道に立ちふさがり、それを見つけた兄ちゃんが、真っ青な顔で木の上から降りてこようとしていた。

「逃げて！」

「難関」が、姉ちゃんぶるとかそうゆう気持ちではなく、まさに純粋な気持ちでミキにそう叫んだけど、何が何やら分からないミキは、ただぼうっとフェラーリを見ていた。

僕は、ただミキを守らなきゃ、というその気持ちで走り出し、兄ちゃんは木の途中から焦って無理な体勢で飛び降り、右脚を変な具合に引き摺《ず》りながら走って来たけど、ふたりとも、フェラーリの脚には敵《かな》わなかった。

木の上で兄ちゃんの同級生達が、大きな声で何か叫んでいた。

フェラーリの鉄パイプは日の光を反射してキラキラと光り、僕は眩しさからだけでなく、祈るような気持ちで目をつむった。

ミキはそれでも、ただ不思議そうにフェラーリを見ていた。


一号公園近くの廃車や自転車が撤去された日、フェラーリも忽然《こつぜん》と姿を消した。フェラーリは昔は大学の教授だったんだとか精神病院に入れられたとか、実は大金持ちで、召使が迎えに来たとか、色んな噂《うわさ》を残していった。

あの日俊足を響かせ風のように走って来たフェラーリは、目の前に立ち尽くしている、小さな女の子を見た。その女の子は、鉄パイプを持っている自分を、巨大な鼻の穴を持った自分を、不思議そうな顔で、じいっと見つめていた。

フェラーリは、ぴたりとその動きを止めた。

ミキとの間三メートル、望月君よりうんと近い距離だ。僕と兄ちゃんもやっとミキに追いついて、その体をふたりで囲んだ。僕の目はフェラーリの右手に握られた鉄パイプに釘《くぎ》付けになっていて、兄ちゃんは兄ちゃんで、フェラーリの動向をじっと窺っていた。僕の心臓は高鳴り、どきどきというその音が、兄ちゃんの心臓の音と混じった。

僕らが立ちふさがっても、フェラーリの目はミキに釘付けになったままだった。それは、目の見えなかった人が、この世で初めて海を見たときのような、砂漠をずうっと旅していたキャラバン隊長が、遠くに揺れるオアシスを見つけたときのような、何かかけがえの無い、大切なものを見つけてしまった目だった。

ミキは恐怖でパニック寸前の僕ら兄弟と対照的に、それはそれはゆったりとフェラーリを見つめていて、さっきまであんなに走ってきた女の子、長靴に石を入れて誰かに投げつけようとしていた、そんな乱暴な女の子には全然見えなかった。僕らはそこに大人の女の人、「難関」なんかよりもうんとうんと大人の女の人の気配を感じて、僕らがミキを守っているのじゃなくて、ミキに守られてさえいるような、不思議な錯覚を起こした。

フェラーリは、苦しそうに息をして、それはぶもう、ぶもう、という豚のやり方、いつもは汚らしくてみすぼらしかったそれが、そのときは全然嫌じゃなくて、むしろ不規則な音階は僕らの耳をくすぐって、とてもとても優しかった。

「わし。」

呼吸の合間に、フェラーリがぽつりと言って、僕らはフェラーリの言うことに耳を済ませた。思えば僕らがフェラーリの言うことを真剣に聞こうとしたのは、それが最初で最後だった。

「わし、」

ミキが僕と兄ちゃんの手を握った。その手は母さんのブローチみたいに小さくて、ああそういえばミキは、うんと小さい女の子なんだということを思い出させた。

フェラーリは、ミキに注いでいた視線を、もう少し大きく僕ら三人に移した。フェラーリは同時にたくさんのものを見ることが出来ないから、ゆっくりと、注意深く、つぶれた目を慣れさせるように、僕らを見た。そして、ぶもうぶもう、という息を、大きく、大きく吸い込んで、こう言った。

「思い出したど。」

フェラーリが何を思い出したのか、僕らにはまったく分らなかった。ミキでさえ、

「あの人、なんて言うたん?」

と僕らに聞いた。でも、フェラーリはずうっと背負っていた、大きなリュックを外した人みた

いにため息をついて、あんなに見るのを怖がっていたのに、うんとうんと高く、空を見上げた。

「思い出したど。」

それが僕らが、フェラーリを見た最後だった。

フェラーリが姿を消してから、僕ら子供達は一号公園で遊んでもいいということになった。でも、僕らはそこには行かなかった。廃車や自転車が撤去されたことで空き地は綺麗にはなったけど、何か他人行儀な、よそよそしい感じがして落ち着かなかったし、何よりフェラーリがいないそこは、僕らには何の魅力も無かった。

兄ちゃんと一緒で驚くほどの記憶力を持つミキだけど、何故かあの日のことは覚えていない。

フェラーリの話をしても、

「誰それ？」

と首を傾《かし》げるばかりで、僕も兄ちゃんも、ミキはますます不思議な女の子だという実感を強くした。

引越し

その年の春、僕らは引越しをした。

僕らの家は建売で、町と一緒、とても狭かった。なんたって赤ちゃんだったミキの寝息が聞こえるくらいだ、僕らにはほぼ、プライバシーというものが無かった。

父さんと母さんの「あの」ときの声を聞いたのは、ミキだ。

ミキは父さんと母さんの間で川の字になって眠るのだけど、その頃になるとほとんど僕と兄ちゃんの部屋で寝た。僕らの部屋には二段ベッドがあって、当然兄ちゃんが上で僕が下、優しい兄ちゃんは僕に気を使って、

「薫が上で寝てええねんで。」

と言ってくれたけど、僕は兄ちゃんの規則正しい寝息を、下から聞くのが好きだった。いつも兄ちゃんを見上げる位置にいることが心地よかったし、たまに兄ちゃんの足がベッドからはみ出しているのを見て、安心してぐっすり眠ることが出来た。

ミキは僕らの部屋に枕を持ってきて、真っ先に梯子《はしご》を登って兄ちゃんの隣で寝た。たまに足だけベッドの柵にかけて逆さまにぶら下がり、僕を笑わせた。そして、

「薫、もう寝た？」

と言っては、うとうとしかけていた僕を起こし、僕らは子供ながら夜遅くまで話した。

ベッドの板越しに聞こえるミキの声は、貝殻に耳をつけて聞こえてくる波みたいで、兄ちゃん

の腕と一緒に投げ出されたミキの足は、打ち寄せられた珊瑚《さんご》みたいに白くて、頼りなく光っていた。

　その日もミキの、

「薫、もう寝た？」

で起こされた僕は、ミキと兄ちゃんがただならぬ様子で僕を見下ろしているのを見た。

逆さまになったふたりの顔は、暗闇《くらやみ》の中でも赤くなっているのが分ったし、それが逆さまになっているせいだけで無いことも分った。

「薫、聞こえるか？」

兄ちゃんが内緒話するときみたいな声でそう言い、何を言っているのか分らなかったけど、僕はとりあえず耳をすました。

それは、母猫が子猫を呼ぶときみたいな、甘くて、優しい声だった。

それが母さんの声だと分るまでそう時間はかからなかったけど、僕は今まで聞いたことも無いようなその声に驚いた。

たまに、母さんが編み物なんかをしていて、ふうと、幸せのため息をつくことがある。それは小さな船が出発の合図をするみたいな、わくわくする類の声で、僕らは思わず顔を見合わせてにっこりとしてしまうのだけど、今日の母さんのそれはそうゆう腕白な声ではなくて、紫陽花《あじさい》の花びらが散るときみたいな、少し切なくて、そして途方も無く優しい声で、僕らは黙り込んでその声に聞き入ってしまった。

　僕らは話すことやくすくすと笑うことも忘れて、流れ星を待つ人達みたいに、じいっと天井を眺めた。僕の位置からは天井は見えなかったけど、木の板に描かれている、綺麗な木目の川が流れている様子や、その川がいつの間にか分かれてそのまま窓の外の空に続いて行く様子を簡単に思い浮かべることが出来た。

　僕の心臓はどきどきと高鳴って寝返りを打つことも出来なかったし、きっと兄ちゃんもミキもそうだったろう。でも、母さんの規則正しいその声を聞いてるうちに、僕らは魔法にかかったみたいに、いつの間にか眠ってしまった。


「昨日は、何やってたん？」

　ピーナッツバターを塗りたくったトーストと格闘しながら、ミキがそう言ったのは、次の日の朝食の食卓だ。

　ミキはいつもこうゆうことを聞いて、僕らをどきりとさせる。当時僕はそうゆうことを習っていなかったけど、男の人と女の人が裸で何かいやらしいことをするのは知っていたし、兄ちゃんに至ってはすでに
「はい、この後女子だけ残りなさーい。」

に始まる、お決まりの性教育を受けたばかりだったので、なんとなく両親にそうゆうことを聞

くのははばかられた。

ミキは幼稚園で男の子達がスカートめくりをしたり、先生のおっぱいを触ろうとするのに必死なその姿を見て、この世にはなんとなくエッチなことがあるのだということは理解していたけど、昨晩母さんがあげていた幸せの声が、何のために、どうしたら出せるのかということまでは知らなかった。

僕らより何より、一番焦ったのが父さんだ。その顔は本当に「ぎょっとする」という表現がぴったりで、ぎょっとした後は、漫画みたいにコーヒーにむせて、咳き込んだ。

母さんは、「おやまあ」といぅ顔でミキを見て、驚いたことに、声をあげて笑った。ひとしきり笑った母さんは、よっこいしょ、と椅子に座り、ぐるりと僕らを見回した。僕は母さんが何を言うのかとドキドキしたけど、母さんはタロットカードをめくるときみたい、「まあ見てなさい」という顔をしたので、ちょっとわくわくした。

母さんはおもむろに咳をして、ミキのことを優しい目で見た。

「ミキの目ぇは、誰に似てる?」

逆に質問されたミキは、少し面食らった顔をしたけど、大好きな兄ちゃんが「ミキ、答え」という顔をしているので、一生懸命考えた。

「お母さん。」

「ほんなら、鼻は?」

「うんとな、お父さん。」

「口は？」

「お母さん。」

「耳は？」

「みみ？　えっとなぁ、お兄ちゃん。」

母さんは、編み物のときのため息をついて、ミキの頭を撫でた。

「ミキの頭の形はな、薫に似てんねん。ミキの指はお母さんの小さい頃そっくりやし、頭の天辺《てっぺん》につむじがあるのは、お父さん。一と、靴の減り方が一緒やし、寝るときに片脚を立てるのも、一といっしょ。」

ミキはいつもそうなのだけど、母さんに撫でられると、心底うっとりとした顔をする。大きな目をとろんとさせて、今起きたばかりみたいな顔をするのだけど、僕はその顔がミキの表情の中で一番好きだ。

「別々に生まれて来たのにな、ミキがお父さんにも、お母さんにも、一にも、薫にも似てるのはな、お父さんとお母さんが、好き同士の魔法をかけたからやねん。」

「魔法？」

「そう。お母さんが、生まれて来たときから持ってる魔法とな、お父さんが生まれて来たときから持ってる魔法。それをな、ひとつずつ出し合って、一緒にする。」

「どうやって？」

「うーんと、好きやって思うの。」

「それだけ？」

「ううん。うーんと、うーんと、好きやって思ったらな、お洋服がいらんくなるの。お洋服を着んくてもな、恥ずかしくなくなるの。」

「はだか？」

「そう。」

「それで？」

「裸でな、お父さんがお母さんに、うーんと好きやって言って、体全部にキスをしてくれるの。」

「体全部？」

「そう。」

「お尻も？」

「そうや。」

「おっぱいも？」

「おっぱいも、お尻も、脚も、髪の毛も、ぜえんぶよ。」

「それ、くすぐったないの？」

「お父さんは、お母さんのことうーんと好きやから、くすぐったくせえへんのよ。お母さんはな、なんや、ええ気分になる。」

「どんな？」

「ふわふわとな、空を飛んでるみたいな気分。」

「空？」

「そうや。ふわあ、ふわあってな。えらい、気分ええのよ。」

「ふうん。」

「それでな、お父さんと、お母さんと、ひとつずつ魔法を出し合うの。」

「魔法？」

「うん。お父さんは、ミキの体を作る素を持っててな、お母さんは、ミキの心を作る素を持ってる。それはな、うーんと好き同士のふたりしか、出し合われへんのよ。」

「うん。」

「それをな、ひとつにする。」

「どうやって？」

「お母さんはな、お腹の中にその素を持ってる。お父さんは、おちんちんの中にその素を持ってるの。それをな、お母さんのお腹に入れるの。」

「おちんちん!?」

「そうや。」

「いやぁ、汚い！」

母さんは、声をあげて笑った。父さんは、コーヒーにむせたことも忘れて、恥ずかしそうに、でも頼もしそうに母さんを見て、苦笑いをしている。

「汚くないのよ、お母さんは、お父さんのおちんちん大好きよ。」

「どうやってお腹に入れるの？」

「ミキが生まれるとき通ってきた道あるやろ？　お父さんが入り口をノックしてな、とんとん、ごめんくださーい。て。お母さんはお父さんのこと大好きやから、はい、どうぞ、てドアを開けるの。」

「ふうん。」

「お父さんは、お母さんのこと好きやから、魔法を使ってな、ミキの素をお母さんにくれる。」

「うん。」

「ミキはな、そのときから、もう、ミキやねんで。」

「そのときから？」

「そうよ。お母さんがお父さんのこと好きで、お父さんがお母さんのこと好きで、魔法を出し合った、そのときから、ミキやのよ。」

いまいち母さんの言ったことを理解していなかったミキだけど、自分が何か、とても大切な儀式を通じて生まれてきたのだということを感じて、その考えに、満足そうな顔をした。

母さんは、また編み物のため息をついて、でも今度のそれは、幸せに今にも泣き出してしまいそうな、消え入りそうなため息だった。

「ミキ、生まれてきてくれて、有難う。」

二年後ミキは、それがセックスだということ、そして僕より兄ちゃんより詳しく、セックスの仕組みについて知ることになるのだけど、知れば知るほど、自分が途轍《とてつ》もない確率でこの世界に生まれてきたことが分って、感嘆の叫び声をあげた。


引越しの日は、雨だった。

傘を差すのを迷うような細い細い雨で、それは優しく僕らの家を濡らした。

やって来た引越し屋さんは、ひ弱な僕でさえ大丈夫なのか？と心配になるほどのやせっぽちばかりで、でも、驚くほど手際よく、食器棚や洗濯機をトラックに詰めて行くので、兄ちゃんに夢中なミキでさえ、

「かっこええ！」

と賞賛の言葉を送った。

僕ら家族は、ご近所総出でその様子を見ていたけど、案の定、誰も傘を差していなかった。父さんと母さんは、皆にお礼を言うのに忙しくて、僕らの思い出が一台のトラックにすっぽり収まってしまったことを、感慨深く眺める暇も無かった。

忙しかったのは兄ちゃんも同じで、見送りに来た女の子が列をなしていたし、ミキにしても男の子達が、われ先にとプレゼントを渡しに来た。

僕のクラスメイトも、何故か千羽鶴を持って見送りに来てくれていて、僕は
「元気でな。」

「また遊ぼうや。」

なんて、お決まりの別れの挨拶を交わしていた。中には泣いている奴もいて、僕は嬉しいのと恥ずかしいので、耳の辺りがくすぐったかった。でも泣き顔を家族に見られるのが嫌だったので、やたらと耳をかいて笑っていた。

さあ出発だというそのとき、僕にとって事件が起きた。受け取った千羽鶴をかばんに入れようとしていたとき、ある女の子が僕に話しかけた。

それは湯川さんという女の子で、授業中だけ恥ずかしそうにピンクの眼鏡をかけるところとか、熱心に掃き掃除をする姿が、何となく気になる女の子だった。

湯川さんは、その白い、細い指に、水色の封筒を持っていた。ぽつりぽつりと雨に濡れたそこだけ濃い水色になっていて、水玉模様みたいだった。

「これ読んで。」

湯川さんは震える声で、やっとそれだけ言って、後は皆の後ろに隠れてしまった。僕は兄ちゃんの弟だからそれがラブレターだということが分って、顔がかあっと赤くなるのを感じて、ます

ます耳の後ろを掻いた。でもクラスメイト達には、それをからかったり、にやにや笑ったりする奴がいなくて、ああ、本当にいい街だったと思った。

「有難う。」

僕が誰にともなくそう言ったのと同時に、トラックがブーッと、別れのクラクションを鳴らした。

濡れそぼった僕らの家は、ますます小さく見えたけど、雨に洗われてとても綺麗に輝いていた。玄関に植えた紫陽花はまだ咲いていなかったけど、庭の他の花達が、ささやかな美しさでそれを補った。

僕は、今日は雨だから、「鐘の鳴る公園」の猫たちは、日向ぼっこが出来ないでいるだろうと思った。誰より大きな声で泣いている「難関」は、いつか誰かの子供を産むのだろうし、湯川さんはこれからもきっと、授業中にだけあの、薄いピンクの眼鏡をかけるだろう。そしてばあちゃんは天国で、ずうっと僕らの心配をしているだろう。

小さな、小さな街だった。

ミキが兄ちゃんの膝の上で、じっと外を眺めていて、母さんはいつまでも皆に手を振っていた。父さんは助手席で新しい街の地図を見ていて、兄ちゃんはミキの頭を撫でながら、たくさんの思い出に微笑《ほほえ》んでいた。

僕のポケットには水玉の手紙が入っていて、それは僕のお腹をじんわりと温め、新しい生活への不安を吹き飛ばしてくれた。
小さな、小さな街だった。
ああでももう、雨で見えなくなった。

第3章

ニュータウン

僕らの新しい生活と共に、ある女の子が家にやって来ることになる。大人しくてやせっぽちの女の子だ、僕らのサクラ！　とはいえサクラがやって来るのは、僕らが引越してから、すこし時が経ってからのことだ。それまでには、ちょっとした経緯があった。

僕らの新しい家は、ちょっとしたものだった。

玄関は豹《ひょう》が一頭寝そべっていても家族の靴を置くことができたし、吹き抜けの螺旋《らせん》階段は庭の花梨の木よりも長くうねっていた。リビングは全面が窓になっていたから驚くほどたくさんの光を吸い込んで、その広さに喜んで光の粒達が行ったり来たりした。リビングからつながったキッチンにはお洒落なカウンターがついていて、僕ら子供達はそこに座って「バーごっこ」をした。六畳の畳には死んだばあちゃんの写真が飾られ、写真の中のばあちゃんは、新しい畳の匂いにうっとりしてるみたいな顔をした。お風呂には海の底みたいな深いブルーのタイルが貼られて、ミキのお気に入りのカエルのおもちゃを泳がしても、なかなか壁にぶつからなかった。銀色の蛇口をひねるとスコールみたいに、勢いよくシャワーが出たし、洋式のトイレは、ミキが一番嬉しがった薄いピンク色の便器、そこにも光がここぞとばかりに燦々《さんさん》と差し込んだ。庭はバトミントンのラケットをフルスイングで振っても隣の庭に羽を取りに行かなくてもいいくらい広くて、母さんが、これから手に入れるべき花の種の多さに武者震いした。

「何植えよかな！」

　何より僕らを夢中にさせたのは、ひとりひとりの部屋が与えられたことだった。くるみの木の壁紙が貼ってあるのがミキの部屋、大きなクローゼットが付いているのが僕の部屋、そして唯一ベランダがある、一番狭い部屋が兄ちゃんの部屋だ。僕らは自分だけの空間があることに興奮し、ひとりで眠ることが出来ないミキでさえ、くるみの壁紙を撫でて満足そうだった。

「くるみの匂いがする！」

　嬉しがる僕らを見て、父さんも母さんも嬉しそうだった。ふたりの部屋にはすでにキングサイズの新しいベッドが運び込まれていて僕らを驚かしたけど、幸せそうなふたりと、鯨の胃袋みたいにふわふわしたベッドを見ていると、漠然とだけど、僕らに弟か妹が出来るかもしれないぞ、そう思った。

　あのやせっぽちの引越し屋さんたちは全く疲れを見せず、さっきと同じようにてきぱきと手際よく荷物を家の中に運び込み、ますます僕らを驚嘆させた。

　僕らの新しい家は、坂の途中にあった。階段みたいな土地が整然と並び、当時まさにニュータウンだったそこには、まだぽつぽつとしか家が無かった。ミキが新聞を盗んだ三軒もそのときはまだ大西さんの家しかなくて、張り切った母さんの引越しの挨拶もあっさりと済んでしまった。今でも家には挨拶用に買っていたタオルがたくさん残っている。

僕らのひとつ上の家はまだ建てられていなくて、そこが僕らの遊び場になった。ミキが初めて自転車に乗ったのもそこだし、ごそごそと草むらを揺るがすのをバッタだと思ってヘビ（！）を捕まえてしまったのもそこ、もう立小便をしなくなった僕らがシロツメクサでミキの冠を作ってやったのもそこだ。

家の近所に公園がふたつほどあったのだけど、いかにも「出来たて」という感じのぴかぴかした赤い滑り台や、チェーンがぎしぎしいわないブランコは、僕らには少しよそよそしくて、慣れるのに時間がかかった。何か街全体が、

「ちょっとちょっと、汚さないでくださいよ！」

そう言ってるみたいで、そのつんと澄ました雰囲気が、僕ら兄弟を少し怖気づかせた。だから僕らは引越ししてからしばらくは、いつもその空き地で遊んだ。

僕らは家から歩いて五分ほど坂を下ったところにある小学校に転入した。

四月、新学年からの転入生だったのでそれほど目立たないかと思ったけど、何せ人数が少なかった。僕の小学校は一学年三組しかなくて、一クラスにも三十人ほどしか生徒がいない。その後三年ほどで七組四十人クラスになるなんて思いもしないほど、そのときは閑散とした学校だった。

初めての転校で、僕は自己紹介のとき

「女みたいな名前や。」

そう言われることを覚悟していた。でも、そんなこと言う子は誰もいなかった。ちょっと拍子抜けしたみたいな気分になった僕が自ら
「長谷川薫です、女みたいな名前やけど、ちゃんと男です。」

そう言ったけど、それでも誰も何も言わなかった。反応の無いクラスを見回して、先生が、

「はい、長谷川薫君、皆、仲良くしましょう。」

と、僕の名前を忘れないようにしてるみたいにゆっくりと言った。

なんてゆうか、そんな学校だった。

リノリウムの廊下は上靴で歩くとキュッキュッと磨かれたような音を立てて（前の学校ではワックスがけをしないとそんな音は出なかった）、男子トイレの便器はぴかぴかで、普通におしっこするのも躊躇《ちゆうちよ》するような感じだった（前の学校では友達とお互いのおしっこをクロスさせたりして、便器を小便で汚した）。

「ちょっとちょっと、汚さないでくださいよ！」

は学校でも健在で、そのせいかクラスメイトも、脇《わき》のところがほつれているTシャツ（僕のTシャツは両脇ほつれていた）を着ている奴や、穴の開いた靴下（僕の靴下は母さんが繕いすぎて形が変わっていた）を履いている奴なんていなかった。

兄ちゃんが自己紹介をした日、かっこいい男の子が来たという噂で女の子達は色めきたったけ

ど、前の学校のようにわれ先にと兄ちゃんに話しかけたりする女の子はいなかった。皆教室の入り口までやって来て、こっそりと兄ちゃんを見ていた。たまにくすくすと笑ったり耳打ちしたりしていて、視線を感じた兄ちゃんがそちらを向くと、皆慌ててそっぽを向く。隣の席の女の子に

「よろしく。」

と兄ちゃんが右手を差し出すと、その子は真っ赤な顔でうつむいてしまったし、周りの女の子達がこそこそと内緒話をした。

なんていうか、そんな学校だった。

何かニュータウンの学校特有の、よそよそしい、ぎこちない感じがそこにあったと思う。兄ちゃんがクラスメイトを

「遊ぼうや！」

と誘っても、皆さっさと家に帰ってしまうし、唯一遊びというとテレビゲームだった。僕らの家にはテレビゲームなんて無かったし、相変わらず家の上の空き地で遊んでいた。新しい公園にも少しずつ慣れて、僕らが汚してやるとばかりに、がら空きのブランコを力いっぱい漕いだり、滑り台を逆から登ったりしていた。

今から考えると、新しい学校にはニュータウンに引っ越すことの出来る経済的な余裕がある家庭が多くて、遊びもお金持ち特有のものだった。空き地は腐るほどあったけど、皆新しいテレビゲームやテレビに夢中で、あんまり外で遊ぶ子もいなかった。

僕らの新しい家は大きかったけど、決してお金持ちなんかじゃなかった。

父さんは運送会社で働いていた。トラックの運転をするのでは無くて、今どんな荷物を載せたトラックが、どのルートでどこに向おうとしているかを管理する仕事だ。一週間に三日ほど夜勤の日があって、朝方真っ赤な目で帰ってくることがあったけど、父さんは「超」のつく頑張り屋だった。一日も休まず仕事に行ったし、どんなにお酒を飲んでも遅刻をしたことが無かった。何より父さんは、自分の仕事に誇りを持っていた。

「世界中から来た荷物が今どの道を通ってるか、誰に届けられるのか、父さんは皆知っとんねや！　父さんがちょっとでも間違えたら、大切な荷物が届かへんねんで。」

父さんが世界中の荷物の運命を握ってることに僕らは感嘆したし、何より父さんが見せてくれる、トラックの運転手に無線でより速いルートを連絡する様は、相当かっこよかった。

「ガ、ガー。はい二二六番応答せよ、二七号線事故で渋滞、旧山手街道を右折し花田通りを抜けてください、どうぞ！」

父さんは日本中のあらゆる道を知っていて、それだけでなくどこにどんな裏道があるかなんてことも知り尽くしていた。父さんの一言で、何百台のトラックがその道を決めて行くのだということが、僕らをわくわくさせた。

今から考えると決して高給取りじゃなかったけれど、何せ父さんは宇宙一幸せな男だ。家族のために頑張って、それこそお城みたいな家を手に入れたのだ。

僕らのクラスメイトたちは元々お金持ちだった家庭が多くて、それこそ下町からやって来た僕らに戸惑いを見せていた。

「家の車何？」

なんて聞かれたこともあるし、テレビゲームが無いことを馬鹿にされたりもした。僕らの家の車は中古のバンで時々エンストを起こしたりしたけど、家族でドライブするときに車体の低いスポーツカーなんかを見下ろすことが出来たし、後ろの席でトランプすることだって出来た。テレビゲームは無かったけど、父さん自慢の外国製のチェスや母さんのつやつやとしたタロットカードは誰の家でも見たことが無かった。

何より僕らは若くしてこんな大きな家を買ってしまった父さんその人に相当誇りを持っていた。新しい学校が、前と勝手が違うことに戸惑いを見せていたのは、ミキも同じだった。ミキは入学式で早速、思い切りおならをぶちかまして、しかも校長先生の話に飽きて勝手にどこかに行こうとするという事件を起こした。つまり担任の先生の行く末に暗影を投げかけていた。でもミキは幼稚園と違って、教室の雰囲気が少しよそよそしいことになんとなく気付きだした。

他の女の子達が美しいミキに嫉妬してしかとしたりすることがあったけど、幼稚園のときみたいに上靴を隠したり髪を引っ張ったり、積極的な攻撃をすることが無かったので、ミキがお返しにスカートをめくったり、その子の影に唾を吐きかけることは出来なかった。

ミキとお喋りがしたくて話しかけてくる男の子はいたけど、ちょっかいを出すというよりは言葉でからかうという感じ。
「眼鏡かけてないの？」（「眼鏡のミキ」より）
「あれ？　尻尾が生えてない。」（ミッキーマウスより）
なんとなく話を聞いていたミキはその子の言うことが理解出来なかったし、すぐ拳《こぶし》を振るうのももったいないような気がして、ただぼうっとするようになった。
ミキが一度「ぼんやり」を決め込むと、ちょっとすごい。瞳孔《どうこう》が開きっぱなしみたいな目と、ただ空気の出し入れをする鼻と口、何の力も入っていない体、それはまるで何十年もそこにあるポストみたいに、ただただ存在している。やっつけるべき敵を失ったミキは、ただぼんやり口を空けて教室で座っているのだ。また誰かを殴ってやしないかと心配して教室を覗いた僕は、そんな姿を見て驚いてしまった。
それからこの「ぼんやり」は、ミキのもっとも得意とするところになる。

学校での物足りなさからか、ミキはますます兄ちゃん子になっていった。兄ちゃんがちょっと外へ出て行こうとすると慌てて
「ミキも行く！」
と立ち上がったし、大好きだったトマトも、兄ちゃんが嫌っているという理由で食べなくなった（ミキはそれから本当にトマトが嫌いになった）。

兄ちゃんは兄ちゃんで、ミキと遊んでやりたいのはやまやまだけど、新しいクラスの、その暗い雰囲気を変えるのに必死だった。僕が何事も諦めをもって接するのと逆で、兄ちゃんは何でもチャレンジすることで環境を切り開いて行く人間だった。家に帰ろうとするクラスメイトを飽きず野球やサッカーに誘ったし、髪を切った女の子に

「髪切ったの？」

と話しかけたりした。こそこそと自分の陰口を言う奴に喧嘩を売ったりもした。そう、兄ちゃんは自分の体全てを使って、このちょっとした危機的状況を打破しようとしていた。それはいつもの兄ちゃんのやり方だった。何やかやと考え込む前に、兄ちゃんは自分の体を使った。脚を動かし、手を振り、皆の意識を自然自分に集めた。兄ちゃんは人生で何十回も喧嘩をしたけど、このときほど頻繁に体を使ったことは無かった。兄ちゃんはいつもへとへとになって帰ってきては、ご飯をたくさん食べ、来たるべき楽しい生活のために眠った。

兄ちゃんと一緒に「勇気あり」が出来なくなったことで、ミキは随分寂しそうにしていた。立小便を怒るおばさんや兄ちゃんにあからさまなアタックを試みる「難関」、ぶん殴ることが出来る男の子がいないことや、何より兄ちゃんが着実に自分から遠い世界へ行こうとしていることに気付いて、きっと僕らには想像もつかないほどの寂しさを感じていたのだ。

紫のラクダ

わが家にサクラがやってきたのは、まさにそんなタイミングだった。ある日突然、ミキが犬を飼いたいと言いだしたとき、その考えに、たちまち兄ちゃんも僕も夢中になった。ミキがどうゆうつもりでそんなことを言ったのかははっきりと分からなかったけど、僕らは生まれてからほぼ初めて、ミキの意見に大賛成の態度を見せた。母さんや父さんは、とうとうと生き物を飼うことの大変さを説いたけど、何せ嵐がきてもすっぽんに噛まれても、ええっと、鯨に飲み込まれても意見を変えないミキのことだ、いずれ両親が根負けして、とうとう我が家に犬がやってくることになった。

何度でも言うぞ、僕らのサクラだ！

僕の家に初めて来た日、サクラは、ミキの側を離れなかった。

「あら、えらい細い子ぉやね。」

母さんがそう言ったけど、サクラは実際、本当に小さかった。

「この子、サクラ、ゆうねんで！」

「え、もう名前決まってるん？」

母さんは豆粒みたいにちっぽけな犬に、もう名前がついていることに驚いたみたいだ。

「なぁミキ。何で、サクラにしたん？」

「内緒。」

ミキのポケットには、サクラから落ちたピンクの花びらが入っていた。それはミキにそのまま忘れられて、一週間後パリパリにちぎれた状態で発見されることになるのだけど、そのときは生まれたばかりの魚みたいにみずみずしくて、ミキの右のお腹で、まるで宝石みたいにその輝きを放っていた。

ミキが頑固なのを知っている母さんは、答えを求めるように僕を見た。母さんの顔があんまり幸せそうなのと、サクラがとても綺麗な目をしているから、僕は、僕のポケットにもピンクの花びらがたくさん詰まっているみたいな気分になった。

「内緒や。」

サクラは本当におとなしくて、その日も、次の日も、一切鳴かなかった。最初は
「おとなしい犬やなぁ。」

なんて家族で話していたけど、一週間たっても二週間たっても鳴かなかった。

僕らはサクラを病院に連れて行くことにした。今から思うとすごく滑稽《こっけい》なのだけど、夜の九時ごろ、僕らはサクラを車に乗せて家族総出で町外れの動物病院へ行った。僕らはサクラが心配な

のと同時に、家族皆が馬鹿みたいに大切にすべきものが出来たことで、ワクワクしていた。まるで宝物の隠し場所を、新たに探すみたいな気分だった。

サクラも初めての車に興奮気味で、ミキの膝の上で体を伸ばして、流れる景色を見ていた。ミキは、

「サクラ、ほら。わん、は？　わんって言いなさい？」

そうサクラに呟《つぶや》いていたけど、サクラは不安げにミキを見上げるだけで、やっぱりちっとも鳴かなかった。

動物病院は閉院間際だったので、薄暗い待合室には、僕らの他に頭の廻りにパラボラアンテナみたいに紙を巻いた意地悪そうなペルシャ猫と、その猫を抱いた太ったおばさんしかいなかった。おばさんは絵の具で搾り出したみたいな紫の服を着ていて、とんぼみたいなサングラスをしている。時々体を揺すって、どこの国の言葉か分らない歌を歌っていた。

「いーざーらー、ざーあーふぁうえばー、しんゆーびーおらうよーらーぷっみー、あーざーとっぽらわー。」

お祭りの囃子《はやし》のような、何かの呪文《じゅもん》のようなその歌はすごく不吉で恐ろしくて、でもじいっと聞いているとふわふわして、なんだか眠たくなってしまった。時々サクラがぴく、ぴく、と耳を動かして、ミキの腕の中でもぞもぞと動いた。ミキはおばさんと猫に釘付けになっていて、それこそ魔法をかけられたみたいに動かなかった。

パラボラ猫はおばさんに撫でられて気持ち良さそうにぐるぐると喉を鳴らすけど、時々思い出したようにサクラにフーッと威嚇を続ける。気の弱いサクラはすっかりびびってしまって、細い尻尾を内側に丸めて、ミキの膝の上で震えている。

「よーらーぷっみー、あーざーとっぽらわー。」

待合室のエアコンは古くて、ごおんごおん、と音を立てる。家の洗濯機のようなその音に僕はますます眠たくなって、恥ずかしいけれど母さんの膝にもたれて少し眠った。母さんは僕の耳を撫でて、そのさらさらとした手触りは僕の瞼をますます重くした。

よーらーぷっみー、あーざーとっぽらわー。

夢を見た。

僕は大きな紫のラクダに乗って、魚の卵みたいな柔らかい砂漠を旅している。太陽は僕の真上、北北西の風が吹いていていて、でも砂粒は舞い上がらない。僕は母さんが作ってくれた、卵のたくさん入ったホットドッグをポケットに入れて、水筒を間違えてミキのピンクの花柄のものにしたことを後悔している。遠くの方に町の明かりが見えて、でも僕はそこには行かない。とても海を見たいと思っていて、大きな岩にもたれて歌を歌っている長い髪の女の人に、海はどこですか?と聞く。長い髪の女の人はにっこり笑って、よく見るとミキに似ていて、僕は突然家に帰らなきゃ、と思う。さて町へ向おうと、振り返ったらもうそこには何の光も無くて、途方に暮れた僕は大きな声で泣き出す。泣いて泣いて、そこいら中が僕の涙で水浸しになって、紫のラクダが「堪忍し

てえな」と呟く。僕はとても恥ずかしくなって、何か言い訳をしたいのだけど、

「長谷川さあん。」

看護婦さんの間延びした声で目が覚めた。

眠い目をこすって、ぼうっとした頭を抱えた僕が立ち上がって、頭を撫でる母さんの手を恥ずかしいから振り払って、でも母さんは笑っている。診察室に入るとき、おばさんの前を通った。パラボラ猫は相変わらずサクラに威嚇を続けていて、僕がちらとそちらを見ると、おばさんが小さい声で、本当に小さい声で
「堪忍してえな。」

と言った。

驚いた僕が振り向くと、おばさんはにやりと笑って、またあの歌をくちずさんでいた。

サクラを抱いたミキを先頭にぞろぞろと診察室に入って来る僕らを見て、獣医さんは怪訝そうな顔をした。頭の天辺がつるつるにはげていて、横の毛だけ異常に長い。しかも顔がつやつやと光っていて、ぎょろりとした目や裂けそうな大きな口が、どこかの悪い妖怪みたい、「悪いことをしたらあいつがさらいに来るよ。」系のやつだ。ミキは診察室に入った途端サクラを抱いたまま兄ちゃんの背中に隠れてしまったし、僕は僕で凝視するのが怖くて、慌てて壁に貼ってあるポスターなんかを見ているふりをした。「わんちゃんにもストレスが溜まるのを、ご存知ですか？」「爪は月に一度切ってあげましょう。」

でも、僕よりミキより、誰より怖がっていたのがサクラだ。消毒液の匂いのぷんぷんする病室、白い服を着た妖怪、不穏な音を立てる診察台、奥から聞こえる入院患者達の悲しい遠吠《とおぼ》え。サクラの体はぷるぷると震えて、犬にとっては一番大切な鼻なんかもカラカラに乾いてしまった。

「どうしましたか?」

妖怪がびっくりするくらい高い声でそう言って、優しそうな顔(本人はそのつもりなんだろうけど、今から食ってやるぞ!てゆう顔にしか見えない)でサクラを抱いたミキを見る。

ミキは何でここに来たのかも忘れてしまったように、ぎゅうっとサクラを抱いて後ずさりをして、それをなんとか母さんが食い止めた。妖怪には大人の男が太刀打ちするべきで、サクラをミキから抱き上げた父さんが、勇気を出して診察台に向かった。

「ありゃぁ、可愛いわんちゃんでちゅねぇ!」(実に旨《うま》そうだ、どうやって食ってやろうかぁ?)

相当おびえている僕ら子供達に最大限の媚を見せて、妖怪がサクラを抱こうとした。

ミキが思わず「やめて!」と叫んだ、ちょうどそのとき、

「うぉぉぉぉん!」

サクラは、病院中に響き渡る声で鳴いた。よっぽど怖かったのか、記念すべき第一声を発した後は、堰《せき》を切ったように鳴き出した。

「うぉぉぉおん! うぉぉぉぉぉん!」

僕はあっけに取られ、母さんは嬉しそうに

「いやぁ！」

と言った。ミキに至っては、サクラを抱えあげ
「鳴いた！　鳴いた！」

と、嬉しそうに小躍りした。サクラの声はその小さな体にまったく不釣合いで、低くて、太くて、狼《おおかみ》が仲間に危険を知らせるような声だった。時々
「がううっ。」

なんて恐ろしい声で唸《うな》って、僕らを相当驚かせた。

妖怪はというと、怪訝そうに、

「あのー、このワンちゃんは、どこが悪いんですか？」

と、父さんに聞いた。父さんはバツが悪そうに説明しようとしたけど、その頃には、僕らは病院の待合室に飛び出し、驚いている看護婦さんに向って、

「ありがとうございましたぁ。」

と大声で言い、けらけら笑いながら、サクラを交互に抱いたのだった。

パラボラ猫と紫のおばさんは、影も形もなくなっていた。

入り口出口

家に来た頃のサクラは、いつも玄関で寝ていた。最初は「ぶなしめじ」の段ボールで眠って、サクラが大きくなるにつれそれは「にんじん」「はくさい」「エリエールティシュー」になった。「アサヒウーロン茶」に入りきれなくなったとき、サクラは初めて外で眠った。父さんと兄ちゃんがホームセンターへ出かけて、サクラには大きすぎる犬小屋を買ってきたのだ。スヌーピーが眠っているような赤い三角屋根の犬小屋で、ミキが「サクラのいえ」、しかも入り口の右側に「入り口」左側に「出口」と書いた。

入り口でも出口でもあるそこをサクラが最初にくぐった日は、ちょうど初雪が降った。庭一面が真っ白くなって、初めて見る雪にサクラも興奮、でも女の子だからはしゃいだりせず、自分の歩いた足跡の匂いを嗅いだり、そっと雪を食べてみたり、それはそれはお上品に遊んだ。

「初めて外で寝るのに、雪やったら可愛そうやわ！」

と言い張る女性陣に対し、

「いやいや、犬たるものどんなに寒くても外で寝るもんだ！」

という男性陣の意見を押し通し、サクラは粉雪がちらちらと降る中、とぼとぼと犬小屋に入った。サクラは初めての自分の家に落ち着かないのか、そこいら中の匂いをくんくんと嗅いで、小屋の中をぐるぐると回った。でも結局、小屋の隅の方に腰を落ち着け、自分の前脚に頭を乗っけて

「ぐふうっ。」

と、満足そうな唸り声をあげた。

その日の夜は、随分寒かった。雪が周りの音を吸い込んで、それはそれは静かな夜で、時々北風がぴゅうっと通り過ぎた。自分の体の形分だけしか布団が温まらなくて、僕は身動きが取れずにいたし、息を吐くとそれは白い靄のようなものに変わった。

一番初めに根をあげたのは、父さんだった。

扉が静かに開くぎい、という音、階段を降りるぎしぎしいう音、玄関のチェーンが外されるかちゃりという音がして、最後には大きめのスリッパのぺたりぺたりという音がサクラの小屋の方へ続いた。僕は出来る限り耳を済ませて、父さんの取る行動に最大限の注意を払っていた。でも、

「サクラ、中入ろ。」

そう言う小さな声が聞こえてから、僕は嬉しくてベッドから跳ね起きた。

玄関には眠そうなサクラと、

「やっぱりもうちょっと後でええか？」

と恥ずかしそうに笑う父さんが立っていた。僕はとても幸せな気分になって、

「段ボール無いけどな。」

と言った。気が付けば玄関に家族が集まっていて、きょとんとした顔のサクラを交互に撫でながら、皆で
「甘いなぁ。」

と笑った。

それから、夜たまにサクラを家に入れてやることが、僕らの密《ひそ》かな楽しみになった。大雨が降った日、雷が鳴った日、何も起こらない日、僕らは玄関に毛布を敷いて、サクラを入れてやった。サクラはドアを開ける前から家に入れてもらえるのが嬉しいらしく、エサをもらえるのと、散歩の鎖を見るときの次に激しく尻尾を振って、

「うぉんうぉんうぉん！」

と喜びの遠吠えをした。ドアを開けたらカールルイスのスタートダッシュで家の中に飛び込んできて、調子に乗ってリビングまで入ってくるのだけど、そんなサクラのことを誰も怒らなかった。ミキは四つん這《ば》いでサクラとタオルの取り合いをしたり、ごろごろと転がったりして、母さんに
「女の子やろ？」

とたしなめられていた。僕は寝そべるサクラを枕にすることに夢中で、皆に笑われた。

そうしてひとしきり遊んで、絶妙なタイミングで母さんが
「いやぁ！　毛だらけ、掃除は誰がすんの？」
と言い、その言葉でサクラの出番はおしまい、おとなしく玄関で寝るのだった。
ベッドに入った僕らにも聞こえる、サクラの
「ぐふうっ。」
という唸り声や、首を後ろ足で掻いている音は、途方もなく優しい眠りをもたらしてくれた。
何よりサクラがそこにいることで、僕らは暗闇でも安心して目をつむっていられた。

サクラがやってきてから、新しい環境に馴染めず少し元気を無くしていた我が家が、また賑《にぎ》やかになった。兄ちゃんは学校が終わると真っ先に家に帰ってきて、サクラと庭で遊んだし、僕もそうだった。それはミキが生まれて間もなくの頃の僕みたいで、母さんはそんな僕らを見て笑った。

「サクラが鳥やったら、あんたらをお母さん思うわ。」

父さんは自分の家を持つことが出来たうえ、庭で犬を飼うという贅沢《ぜいたく》を許されたことに満足して、ますます仕事に精を出すようになった。母さんは教えてもいないのにきちんと花壇を避けるサクラに感心して、新しい娘を可愛がるみたいにサクラを愛した。

ミキはミキで兄ちゃんがまた遊んでくれることが嬉しくて、そして何より自分にその体を預け

て、安心しきった寝息を立てているサクラが愛しくて仕方ないらしかった。今までよほどのことが無いと笑わなかったミキだけど、サクラがいると自然ににこにこと笑顔になったし、寝言でも
「サクラ。」
と呼びかける始末だった。

大人への一歩

サクラが初めて外で眠った頃、兄ちゃんも自分の部屋で一人で寝ると言い出した。
兄ちゃんの努力の甲斐《かい》あって、そして何より次々と転入してくる新しい子供たちのお陰で、僕らの学校も随分活気づいてきた。大きな家ばかりだった街には公営団地が建てられ、近郊の街からたくさんの家族が引っ越して来た。当然お金持ちばかりじゃなくて、僕らが育ったような下町から来た奴もいるし、お母さんがその家計を支えてる家の奴、大家族の奴、つまり自分の庭に花を植える余裕や、ましてや犬を飼う余裕なんて無い家の子供達がたくさんいた。その頃すでに学校でも相当人気者に返り咲いていた兄ちゃんに、転入してきた早々
「お前がこの学校しきっとんのか？」

と喧嘩を売る奴もいたし、品行方正だった我が校にも、台風のように色んな風が吹いてきた。

つまり、また段々楽しくなって来た。

僕のことを
「女みたいな名前やなぁ！」

とからかう奴が出てきたことを僕は嬉しく思ったし、ある女の子なんてちょっと目が合うと
「あんた、あたしのこと好きなん？」

なんて冗談を言って僕を笑わせた。

新しい街は、新しい街らしく、今まさに色んなことが始まりかけていた。不思議なことに僕らにとってそれはサクラが来てから起こったことだったし、この小さくて、弱っちくて、ちっとも素敵じゃない女の子が、尻尾につけてきたピンクの花びらみたいに、僕らに楽しい毎日を運んできてくれたみたいだった。

ミキは相変わらず「ぼんやり」を決め込んでいたけど、サクラと遊ぶときはパンツをまる出しにして転がっていたし、スカートめくりを仕掛けてくる連中なんかも現れたりして、また自分の拳をふるうべく立ち上がった。

兄ちゃんは春に中学入学を控えていた。

僕は兄ちゃんの弟として、また、

「長谷川君の弟？　似てないなぁ。」

　などと言われたり、

「長谷川君の弟だから。」

　と優しくされたり、とにかく兄ちゃんに振り回されていたのだけど、それはもう慣れっこだった。とにかく兄ちゃんはどこへ行っても人気者で、それは向日葵が太陽に向って伸びて行くのと同じ、至極当然の成り行きだった。

　人気者に返り咲いた兄ちゃんは、当時僕の部屋に置いてあったあの二段ベッドで眠っていた。兄ちゃんが急に一人で眠りたいと言い出したことを、両親は当然のこととして受け入れたし、僕も寂しいながら了解した。僕が思うに、あの頃兄ちゃんは、そろそろ男の生理に目覚めたのではないだろうか。

　兄ちゃんは六年生にしては背が高くて、ランドセルなんかを背負うのも随分窮屈そうだった。狭い街だったので、中学校の女の人までが兄ちゃんのことを知っていたし、色々教わることも多かったようだ。僕が初めてエロ本を発見したのも兄ちゃんが中学に入る前だし、なんてゆうか、兄ちゃんは、人より発育が早い自分の体を、ゆっくりと自己処理出来る空間が欲しかったのだろう。

　納得いかなかったのはミキだ。サクラがいるとはいえ、兄ちゃんと一緒に眠ることが出来る時間は、ミキにとって一番大切な時間だった。

兄ちゃんはサクラ狂の三ヵ月が過ぎると、新しい学校で放課後サッカーを始めて、休みの日も練習に参加した。ミキは学校でよく兄ちゃんの教室をたずねて行ったけど、クラスの皆に囲まれて忙しそうな兄ちゃんに、話しかけるのを躊躇《ためら》わされた。

唯一一緒に眠るこの時間だけが兄ちゃんを独り占めに出来るときだったのに、その時間を取られたらたまったものじゃないと、ミキは最後の我儘《わがまま》を見せた。

「ミキもお兄ちゃんの部屋で寝る！」

兄ちゃんは心底困った顔をした。サクラ同様、ミキのことが可愛いのは今も同じで、でも、兄ちゃんには男の生理ってもんがあった。母さんがミキにセックスのことを教えたみたいに、兄ちゃんもミキにアレについて教えてあげれば良かったのだろうけど、さすがにそれも出来ない。散々泣きじゃくるミキをなだめすかして、ミキが泣き疲れて眠ったところで、兄ちゃんは大人への一歩を歩むべく、自分の部屋の扉を閉めた。

その夜、僕は眠れなかった。二段ベッドの下で、僕の隣では泣きつかれたミキが寝息を立てていた。上にいるはずの兄ちゃんはいなくて、その布団は冷え冷えとしている。サクラが犬小屋でまた

「ぐふうっ。」

とため息をついているはずで、僕はそのとき、大人になるということについて、真剣に考えていた。

大人になるというのは、一人で眠ることじゃなくて、眠れない夜を過ごすことなんだ。

母猫のような声をあげていた母さんや、散々ミキに泣かれても、それでもどうしても一人で眠ると言った兄ちゃん。きっとふたりは、眠る時間を削ってしまうほどの何かに、どうしようもなく心を奪われていたのだ。

兄ちゃんに好きな人がいるかどうかは分からなかったけど、それでも兄ちゃんの体が、誰か途轍もなく優しくて可愛らしい女の子を求めていることは分った。

今夜兄ちゃんは誰かを思って、僕らと眠るときよりももっと暖かい気持ちになるだろうし、一人で眠っているという事実以上の孤独を味わうのだろう。

僕は試しに、湯川さんについて考えてみた。

湯川さんの手紙には、

「長谷川君のことが、ずっと好きでした。」

そう書かれていた。消しゴムで何度も消した跡があって、その消しゴムの甘い匂い、僕はそれが湯川さんの匂いだと思って、何度も何度も匂いを吸い込んだものだ。

湯川さんの湯上りの赤ちゃんみたいなピンクの眼鏡、それを恥ずかしそうにかける様を思い出していると、お腹のあたりをきゅんと誰かにつねられているような気持ちがした。

これが誰かを愛しいと思う気持ちなのかと考えてみるけど、どうも違うような気もして、じっくり考えることもくすぐったくて出来なかった。僕は腕の中のミキが寝返りを打つのを見守って、そして、そのまま眠ってしまった。

矢嶋さん

僕が初めて一人で眠りたいと言ったのも兄ちゃんと同じ、小学校六年の頃だった。ミキは当時、母さんから兄ちゃんがたった一度のセックスで出来た子供だとか言う話を聞いたという事実があるように、かなり男女の性について詳しくなっていた。その頃ミキは二段ベッドの上で眠っていたけど、僕が一人で眠りたいと言うと、あっさり了解して、枕や布団一式を持って、自分のくるみの部屋へ行った。

兄ちゃんは僕がそんな風に言ったことを喜んで、母さんやミキに隠れて、こっそりエロ本を持って来てくれた。

その頃兄ちゃんには彼女がいた。兄ちゃんに言わせれば「とても大人」な女の人、兄ちゃんはこの人に童貞を奪われた。一度セックスの味を知ると、あとはまさにサルのようにそのことばかり考えてしまう。兄ちゃんは自分の体との折り合いをつけるために、様々なエロ本を持っていた。

兄ちゃんが彼女を初めて家に連れてきた日は、ちょっとした事件だった。

「今度の日曜、彼女が家に来るから」

兄ちゃんは出来る限りさり気なくそう言って、怒ったように咳払いなんかをして、自分の部屋に戻った。リビングにいた父さんと母さんは、

「ああ、そう。」

なんて、これまた何てこと無い風なふりをして、でも、兄ちゃんが出て行ってから、パニックになった。

「お父さん！　一の彼女やて！」

「彼女かぁ、そうかぁ、あいつやりよるなぁ。」

僕は僕で、兄ちゃんの彼女のことは兄ちゃんから聞かされていたので知っていたけど、実際に見るのは初めてなので、その容姿をあれやこれやと思い浮かべた。

一番大変だったのはミキだ。

僕がひやひやしている間もなく冷蔵庫を乱暴に開け閉めしたり、ちょうど部屋に入っていたサクラのお尻をつねった。さっきまで優しく撫でられてうっとりとしていたサクラは、突然お尻の激痛を感じ、

「ひゃんっ。」

と情け無い声を出した。

「あのー、私、何か悪いことしたかしら？」

彼女が家にやって来る日、サクラは、それはそれは綺麗な体になった。洗ってやったのは僕だ。僕の予想では、彼女というものは、大抵彼氏の家の犬を

「可愛い！」

なんて言って、可愛がるもんだ。もし彼女が犬嫌いで、それでも無理してサクラを撫でて、その手がとても臭かったりしたらいけないと思って、僕はいつもより念入りにサクラを洗った。水嫌いなサクラはしきりにぺろぺろと自分の顔を舐《な》めて、細い尻尾をぎゅうっとお腹にくっつけていた。

「いつもより、な、長くなぁい？」

三度目くらいのシャンプーで、とうとうサクラは生まれたてのヒヨコみたいに、ふわふわと綺麗になった。ごしごしこすったからといって顔のぶちは消えないけど、それでも動くとふわりといい匂いをさせて、それが女の子らしさを感じさせた。

父さんと母さんは出来るだけいつも通りふるまおうとしていたけど、どう見てもいつもの休日の格好よりお洒落していたし、食卓の上には「いつも置いてあるんです」風に、フルーツの盛られた銀の皿なんかが置いてあったりして、僕は笑ってしまった。

ミキは拗《す》ねて、部屋でふて寝していた。

初めて見る兄ちゃんの彼女は、僕が思ったよりも大人だった。髪の毛をくるんと後ろにカールしていて、ピンクのリップを塗っていた。褪せたジーンズの上下を着ていて、鋭い目つきといい、

なんてゆうか、

「なめんなよ。」

という感じ、とても美人だったけど、大人に好かれるタイプの女の子ではなかった。父さんは男だから美人は無条件に歓迎してたけど、部屋にお手製のアップルパイ（作るのは二度目だ）を運んだ母さんは、

「わあ、私、アップルパイ大好きなんですう！」

と感激する彼女を期待していたのに、

「あ、どーも。」

なんて片膝を立てている彼女を見て、ちょっとがっかりしていた。

僕は僕で、

「可愛い！」

と言ってサクラを撫でる彼女を想像していたのに、サクラを撫でるどころかその存在さえも黙殺してさっさと二階に上がってしまった彼女を見て、少し残念だった。サクラだけが唯一いい匂いをさせて、皆に愛想を振りまいた。

「だあれ？　今の素敵な人は誰？」

ミキはやっぱり拗ねて、部屋でふて寝していた。

「薫、彼女どう思う？」

その日の夜、兄ちゃんの部屋に呼ばれた僕は、兄ちゃんに恥ずかしそうにそう聞かれた。

「どうって？」

「どうって、美人やなぁとか、あるやろ？」

「美人やなぁ。」

「それから？」

「えっと……。」

怖い、とは言えないので、僕は黙り込んでしまった。

兄ちゃんは、どうやら彼女に夢中みたいだった。僕は彼女が矢嶋優子さんということ、お父さんがいなくて、お母さんとふたり、中学校近くの団地に住んでいることを知った。

僕らの街にもその頃にはいわゆる不良と呼ばれる子達も随分現れてきた。兄ちゃんは全く不良の素質は無かったけど、他の街からやってきた、「そんなに裕福で無い家庭の子供」として、彼らと通じ合うところも多くて、それにその屈託の無い明るい性格で、誰とでもすぐ仲良くなれた。

あんまりもてるから、一度上級生に呼び出しをくらったことがあったけど、それは目立つ者の常だ。兄ちゃんは怖気づいて逃げるようなタイプじゃなかったし、どちらかというと「もてて何が悪い」と食ってかかっていったので、その男らしさが買われ、上級生にも人望があった。

矢嶋さんは、いわゆる不良と分類される人達の一人だった。でも、皆とは違っていた。煙草の

臭いをわざとぷんぷんさせて、

「むかつく！」

なんてすぐ男の子言葉を使う他の女の子達と違って、彼女はいつも香水のいい匂いをさせていたし、その独特の大人びた雰囲気で皆に一目置かれていたけど、矢嶋さんはそんなことには興味がないという顔で、皆から離れていつもぽつりと座っているのだった。

「なんかなぁ、何考えてるか分からへんねん。」

兄ちゃんは、矢嶋さんのことを話すとき、たった今大傑作の映画を見てきたみたいに、興奮して、でも重々しい口調で話す。

「何考えてるって？」

「うーん、なんやろ。例えばな、放課後一緒に帰るやろ？　俺はこう、嬉しいから色々話すわけやん、その日あったこととか、サクラのこととか。」

「うん。」

「矢嶋さん、笑って聞いてくれてんねんけど、なんや時々ふうっと寂しそうな顔するときがあって、その顔になったらあかんねん。もう、あとは上の空ゆう感じで、俺が何言うても、ただぼうっと笑っとる。」

「ふうん。」

「たまになぁ、俺のことほんまに好きなんやろかって、悩むときあるで。」

「好きなんちゃうん。」

「好きゆうてはくれんねん。でもなぁ、」

「ん？」

「でも、でもなぁ。」

「何？」

「矢嶋さん、どうも初めてやないみたいやしなぁ。」

「何が？」

「何がって、アレが。」

「アレって、ああ。」

僕は、なんだそんなこと気にしてるのか、と思った。

兄ちゃんはさすが、母さんと父さんの「初めての子」だ。そうゆうとこを妙に気にする。僕はそのときまだ子供だったけれど、これから先彼女が出来て、もしもその子にとって僕が「初めて」の男じゃなかったとしても、そんなことは全く気にならない自信があった。

昔から、兄ちゃんとミキに挟まれて、その存在を忘れられてきた男だ、二番目だろうが三番目だろうが、何を気にすることがあるだろうか。ここに来て、自分のこの位置は、とてもいい具合に働いているなぁと僕はしみじみ思った。何事も諦めの気持ちで接するに限る。そうすればがっかりしないし、傷ついてうなだれることもない。

「あー、初めてはどんな奴なんやろ？」

いつだって一番だった兄ちゃんは、今回初めて一番を取られてしまったことで、かなり傷ついているようだ。可愛そうな気もしたけど、考えると馬鹿らしいので、曖昧にうなずいておいた。

一番の地位を取られた人間が、我が家にはもうひとりいた。ミキだ。ミキは母さんに矢嶋さんの悪評を聞かされ、ますます機嫌が悪くなった。

「兄ちゃん、やじまさんのどこが好きなん？」

「分からへんのよぉ、えらいべっぴんさんはべっぴんさんなんやけどなぁ。」

「ふん。」

「お父さんなんか、べっぴんゆうだけで鼻の下伸ばしてなぁ。」

「ふん！」

女同士、同姓の悪口を言ってるときの醜い顔ったら無い。よくクラスの女の子が、少し目立つ女の子の悪口を言ってるのを聞くけど、そんなことばっかり言ってるからぶさいくになるのじゃないかと思ってしまうほどだ。眉間《みけん》に寄せられた皺やとがった口、大げさに手を振って喋る様子は、何か気味の悪い妖怪みたいで怖い。その癖悪口を言っていたその女の子が通ったりすると、

「あ、○○ちゃん、またねぇ。」

なんて、ひらひらと手を振ったりする。でもどんなに笑顔を作っても、妖怪の醜さが貼り付いているから、もうどうしようもない。

矢嶋さんが家に来る度、ミキは鼻に体中の皺を集めたみたいな顔をして、様々な不快な音を立てるようになった。僕の縦笛を出鱈目《でたらめ》に吹いたり、窓ガラスに爪を立ててきいきいわしたり、小学校三年生にしては子供っぽいやり方だ。でも、兄ちゃんの部屋には、絶対近づかなかった。ミキなりに部屋で何が行われているか、知るのが怖かったのだろう。実際兄ちゃんは、矢嶋さんと部屋に入ると鍵をかけてしまうので、一度母さんに注意されたことがあった。

サクラは最初、緊張していたのか矢嶋さんが来ても遠くから小さく会釈して、静かに尻尾を振っていたけれど、段々その姿を見る機会が多くなると、遠慮がちに、挨拶に行くようになった。

「どうも初めまして。長谷川サクラと申します。うふふ。」

恋の力

矢嶋さんが初めてサクラの頭を撫でた日は、僕がサクラを散歩に連れて行こうと玄関を出たところだった。制服姿のふたりを見て、サクラは嬉しくて、尻尾をちぎれんばかりに振った。

「一くん、おかえりなさい！　矢嶋さん、覚えてくれてますか？　長谷川サクラですう、うふふ、私今から、薫君とお散歩なんですう。」

矢嶋さんは、足元で一生懸命愛想を振りまくサクラを、少し困ったみたいに見て、そしてその細くて綺麗な指で、そっと頭を撫でた。

頭を撫でられたサクラはうっとりと目をつむり、矢嶋さんが驚かないように注意しながら体をくねらせた。最初恐る恐るサクラを撫でていた矢嶋さんは、小さな声で

「柔らかい。」

と言い、その後はそれはそれは熱心に、サクラの頭を撫でた。そのときには、サクラの体は元通り、シャンプーの匂いも無くなってただ臭いばかりだったけど、矢嶋さんはそんなことお構いなしで、ただただ頭を撫で続けた。

僕は、サクラを撫でる矢嶋さんと、矢嶋さんに撫でられてうっとりと目をつむるサクラが、何故か仲の良い姉妹みたいに見えて、幸せでほくほくと心が暖かくなった。それは兄ちゃんも同じようで、ふたりの邪魔をしない程度に、

「サクラ、嬉しいんやなぁ。」

と言ったり、一緒になってサクラの首を撫でてやったりした。

僕は矢嶋さんのことを大好きになった。

彼女はその大人びた雰囲気やピンクの唇のせいで、怖がられたり不良だと言われたりしたけど、実はただとても恥ずかしがりやの女の子だった。

小さい頃にご両親が離婚してから、ずっとお母さんと二人で住んでいた矢嶋さんだけど、矢嶋

さんのお母さんは、なんてゆうか、恋多き女だった。

好みが無いのかと思うほど、その容貌《ようぼう》に一貫性の無い男の人達がたくさん家にやってきた。小さな頃の矢嶋さんは、ミキ以上に大人の性について詳しく知っていたし、男の人が来たときは外に出ていた方がいいということも知っていた。僕らが両親のあのときの声を聞いてしまったのと同じ、そうゆう類の理由だけじゃなくて、お母さんが連れて来る男の人が、いつも困った人たちだったからだ。

容貌には一貫性が無いけれど、性格的に、男の人達は皆お父さんに似ていた。「変な男気と乱暴なところ」だ。お母さんはよく男の人にフルスイングでぶん殴られたり、背骨のあたりを力いっぱい蹴られたりしていたそうだ。割れた食器を片付けたり、血だらけのお母さんの介抱をするのが矢嶋さんの仕事で、泣きじゃくるお母さんの、その唇から流れる血を見ながら矢嶋さんは、男女の関係というのは、

「何となく、こうゆうもんなんだ。」

と思ったのだ。涎《よだれ》や涙と一緒に流れる血、ぎらぎらと光って、なんだか嫌な臭いがして、乾くと肌に張り付く、そのくせそれそのものは、とても頼りない。矢嶋さんは試しに、全然好きじゃない男の人に、その柔らかくて細い体を預けてみたのだけど、やっぱり予想通り、後に残ったのはその太ももを流れる鈍い色の血と、脚の間に停滞する鈍い痛みだけだった。

矢嶋さんが普段ぼうっとしているのは、世界の全てに対して

「何となく、こうゆうもんなんだ。」

という気持ちで接していたからであって、その容姿に惹かれて次々とアタックを試みる男の子達を、まるでそこにいないかのようにしかとするのも、矢嶋さんの中に「恋をする」という実感が無かったからだ。

そうゆう意味で、矢嶋さんにとって兄ちゃんはある意味革命だった。兄ちゃんは体全部で「あなたに恋をしている。」と言い、体全部でありったけの愛情を注いだ。それは長谷川家お決まりのやり方だったし、母さんにセックスの素晴しさを教えられていた兄ちゃんは、矢嶋さんの体を世界で一番薄い陶器のように扱った。そして、ぼうっとどこかを見つめる矢島さんに、いつでも、

「今、何考えてんの?」

と聞いた。別段何も考えていないと思っていた矢嶋さんは、兄ちゃんのその言葉で初めて、自分がいつも何か考えていること、そしてそう言われて目の周りがじわりと熱くなることで、自分が寂しいんだということに気付いたのだ。

陽の当たらない自分の家とは違う、馬鹿みたいに太陽に頼っている我が家に驚いたし、見たことも無いお菓子をあろうことか手作りする、美しい母親に驚いたし、何よりただ静かに笑って本を読んでいる父親に驚いた。矢嶋さんの中で父親というのは、本なんて読まないし、矢嶋さんを見るあの嫌らしい笑い以外しないものだった。うちの父親のように、この世を未だ

「美しくて、貴い。」

ものだと思って、ただ微笑んでいるその姿が、矢嶋さんには驚異だった。

サクラの頭を撫でて、初めて矢嶋さんはそれが「柔らかい」ことを知って、そしてたぶん、世界は矢嶋さんが思っている以上に「柔らかい」のだということにも気付いた。

矢嶋さんは、頻繁に家に来るようになったけど、母さんに
「唇が息出来ひんから、カワイソウよ。」

と言われてそのピンクの口紅をとったし、本当にがはは、という感じで大笑いする母さんを真似て、少し大きな口で笑うようになった。

ミキだけは、相変わらず部屋でふてねしていた。

僕が中学に入学する頃には、兄ちゃんと矢嶋さんは、学校でも有名なカップルになっていた。元々人気者の兄ちゃんと超のつく美人の矢嶋さんのことだ、付き合いだした当初からちょっとした話題にはなっていたけど、僕が一年生で入った頃には、その仲の良さで噂になっていた。

矢嶋さんはその頃には、長かった髪をばっさりとショートにしていて、若い鹿のような、溌剌とした美しさをたたえていた。顔にかかる長い髪をカールして、ピンク色の口紅を塗っていた頃を知っている人達は、その変貌に驚いたけど、口紅なんて塗らなくても綺麗なサーモンピンクの唇は男の子達をどきりとさせたし、陽に当たった若木のように潔く投げ出された襟足は、女の子達に憧れのため息をつかせた。何より矢嶋さんは体全体で「恋をしている」ことを喜んでいて、すれ違う人は矢嶋さんの美しさだけではなく、そのふわふわと頼りない優しい匂いで振り向いて

しまうのだった。

僕は矢嶋さんのその変化を、ほとんど大半担っていた僕の兄ちゃんを誇りに思ったし、矢嶋さんの全身の恋心を受けて、兄ちゃんの体はどんどん逞《たくま》しくなって、たくさんの生命力をはらんでいるように見えた。

僕は恋という、その途方も無い力を感じた。

湯川さん

僕はその頃、湯川さんと文通をしていた。

「長谷川君　元気ですか？」

「今日、佐藤君がまた牛乳を吐きました。長谷川君がいるときも、よく吐いたよね。」

「今度横山さんと木下ミカちゃんと映画に行きます。」

他愛の無い話で埋められたそれらの手紙は、サクラが成長するようにどんどん増えていったけど、湯川さんは僕のことを好きだと、最初の手紙以来一度も書いてこなかったし、僕も湯川さんのことが好きだと書いたことはなかった。

僕はまだ兄ちゃんのように「恋をする喜び」が分らなかった。誰かを好きになるということは、眠るときの切なさや幸福を運ぶものだということは何となく分っていたけど、誰かに全身で愛されて、そしてその人の口元にいつも笑みを浮かべさせるような、そんな恋が出来るかは分らなかった。

ただ湯川さんを思うと、僕の胸は寒い日にココアを飲む、その最初の一口のようにじわりと暖かくなったし、その暖かさはいつの間にか僕の脚の間に移動していて、僕はまるで自分がもう一人いて、僕自身の背中を柔らかく押されているような気分になった。

湯川さんのことを思ってするそれはとても甘くて、僕の手はいつの間にか湯川さんの細くて白い手、僕に手紙を渡してくれたあの震える手になったし、思わず漏れるため息は、湯川さんのそれと重なった。

終わってしまった後は、湯川さんがここにいないことで絶望的な気持ちになって、そして湯川さんを思ってこんなことをしてしまった自分を、とても醜くて卑小な男だと思った。

僕は全く、どうしていいか分からなかった。

兄ちゃんに相談したかったけど、湯川さんのことに関しては、どうしても僕一人の心の中に収めておきたかった。それは苦しく、僕の胸を内側から圧迫したけど、その力が強ければ強いほど、僕の湯川さんへの気持ち、これが恋なのではないかと思うことが出来た。

詰襟の上に「乗ってる」みたいだった僕だけど、冬が来る頃には、学ランの着こなしも、ミキ

いわく

「首がすわった。」

風になってきた。つまりサマになってきた。上級生が溜まる水飲み場にも怖気づかずに行けるようになったし、何より背がうんと伸びた。思えば学校に入ったときからバレー部やバスケ部の勧誘が多かったから、何となく自分は背が高いんだろうなと思っていたけど、母さんの作ってくれる牛乳たっぷりのココアのせいか、いつの間にか僕は学年一ののっぽになっていた。

兄ちゃんも背が高かったけど、兄ちゃんの場合は肩幅も胸板もがっちりしていて、全体的に「大きな人」という感じ、圧倒的な印象の強さがあるけど、僕の場合は「ただ上に長い人」、体重はそこらの男の子と変わらなかったし、運動をしていないから筋肉なんて欠片《かけら》もない。ひょろひょろと上から皆を見下ろすだけで、何の存在感も無かった。

ただ世の中には、背が高いだけでその男の子のことを好きになる人種がいる。こんな僕だったけど、何度か女の子に告白されるという幸運を手に入れた。どれも好みのタイプじゃなかったし、僕の中で湯川さんの存在が予想以上に大きくなっていたから、断ったけれど、それでもとても嬉しかった。

特に嬉しかったのは、同じクラスのバスケ部の女の子に告白されたときだ。この子は少し気が強くて、クラスでも目立つタイプの女の子だった。

いつもポニーテイルにしてるその長い髪を弄《もてあそ》びながら、

「長谷川は、出来るのにそれをひけらかせへんから好き。」

と言ってくれたのだ。それは図らずも僕が一番狙っているところだった。

僕は帰宅部で、運動の心得は無かったけど、それでも体育の授業やスポーツ大会ではそれなりの運動神経を見せたし、マラソン大会で突然三位になったりした。皆は
「あれ、誰だ？」

と僕のことを指差したし、その前に
「あれ長谷川君の弟だよ。」

と言う奴もいた。僕は「一生懸命やらなくても出来る」ことや、「決して目立ったプレーはしないけど、実は出来る」奴という、その地位を狙っていたのだ。全く、いやらしい話だけど。

僕の兄ちゃんは何度でも言うけど、学校でもヒーローだった。

兄ちゃんはサッカー部のフォワード、兄ちゃんがピッチにいると、そこだけぱあ、と明るくて、大げさな言い方かもしれないけど、それこそスポットライトが当たっているような感じだった。特に、仲間がシュートを決めたときの駆け寄り方などは、ちょっとした見ものだった。皆のように我先に走って行って、がむしゃらに抱きつく、というのではなく、一度空を見て、喜びを噛み締めるように、力を抜いて膝を少し曲げる。それはまるで、動物が次の動きをするために、筋肉をならすようなやり方だった。兄ちゃんはそれからゆっくりゆっくり走って行って、兄ちゃんに気付いた仲間が、まるで兄ちゃんがシュートを決めたみたいに、逆に走り寄って来るのだ。でも、

少しも嫌味なところがなくて、それは兄ちゃんの屈託のない笑顔や、体から溢れている優しさのようなもののせいなのだろう、皆、兄ちゃんが喜んでくれるのが一番嬉しいとゆうように、しっかりと抱き合うのだった。

兄ちゃんのように、根っからのヒーロー、何の気負いもなく、意識もせず、自然皆を惹きつけてしまう類の人間がいるのなら、僕のような人間もいる。どうせ地味なら、地味なりに役目を果たして、少数の人間でもいいから、

「あいつ、誰だ?」

と言わせたかった。

兄ちゃんに嫉妬を感じることは無かったけど、「ヒーローの弟」として、自分の存在を初めてしっかりと確立したいと思い出した時期だった。

そんなとき、バスケ部の女の子からの狙い通りの告白、僕は全く舞い上がってしまった。

あやうく湯川さんの存在を忘れそうになったけど、高鳴る胸を抑えて丁寧に断った。

「今は誰とも付き合う気ないから。」

この断り方も、一本気な男のような感じで、自分では気に入っていた。

ある日、湯川さんからまた手紙が来た。

いつも通り他愛のない文面だったけど、今回のそれは、いつもと違っていた。その最後に「追

伸」としてこう書いてあったのだ。

「今度の日曜日、吹奏楽部の演奏会で、長谷川君ちの近くの市民会館に行きます。もし良かったら、会いたい。」

僕は体中の血がすごい勢いで動き出すのを感じた。メコンデルタかナイル川か、何かよく分らないけどどこかの国の何かとてつもなく大きな川が、僕の中に集まってしまったみたいだった。僕の血は困ったことに脚の間で当分の間停滞していたので、僕は湯川さんに謝りながらまた自分の欲望を果たし、何度も何度も「追伸」を読み返した。

「会いたいのですが。」

とか、

「会えないでしょうか。」

ではなく、

「会いたい。」

と書いてあるところが、湯川さんの僕への恋心を物語っているような気がした。「会いたい」、その甘い響き！　その一言で僕は、僕と湯川さんが長年の恋人であったかのような錯覚を覚えた。僕はもう、その日着て行く服を選び始めた。

がんばってお洒落しました！という格好ではいけない。何気なくそこいらにあるものを着てきたけど、それが図らずもお洒落になってしまった、という風でなければ。僕は散々迷って、兄ちゃんのお下がりの、ブルーのダウンパーカーと、いい具合に色が褪せたリーバイスをはくことにした。僕のキャラクターからいって、最初のデートはこれくらい地味な方がいいのだ。

そう、デート！　まさにそれは僕にとって生まれて初めてのデートだった。

僕は日曜日は大概ごろごろとテレビを見ているか、サクラと遊んでいる。その日兄ちゃんは矢嶋さんと出かけていた。

ミキがリビングで僕と一緒にテレビを見ていて、しきりに画面に向って文句を言っていた。僕にいちいち同意を求めるのだけど、僕があんまりうわの空なので、ミキは飽きたのか、サクラと遊びに、寒い中庭に出て行ってしまった。

僕にとっては有難かった。そのときは昼の一時で、湯川さんとは二時半に市民会館前で落ち合う約束だった。他の吹奏楽部の女の子に見られることを、湯川さんが気にしていないようなのも、僕らの固い絆《きずな》を表しているようで嬉しかった。僕は三年ぶりに見る湯川さんを思い浮かべた。手紙には折々に

「髪がだいぶ伸びました。」

「眼鏡はやめたんです。」

などの、ちらりと湯川さんの現在の容姿を想像させる一言があった。

僕は恐らく伸びているであろう手足が動く様や、ふわりと長かった睫毛《まつげ》が閉じる様子を想像して、夢見心地でソファに体を沈めていた。テレビの内容なんて、どうでも良かった。

市民の森公園は、僕の学校のカップルのいいデートコースになっていた。同じクラスの盛岡君がファーストキスをしたのもそこだし（皆に言いふらしたので、その後振られてしまった）、兄ちゃんと矢嶋さんが手をつないだのもそこだ。僕は湯川さんの手を握れるかどうかさえも分からなかったけど、でも、女の子と市民の森に行くということだけで、大人の仲間入りを果たすような、勇ましい気持ちになっていた。

時間はまだ早かったけれど、待ちきれず家を出た僕に如際ないサクラが駆け寄ってきた。

「薫君、どちらへ？」

ぜいぜいと肩で息をして、足元に大切なタワシを置いて、サクラは僕に撫でてもらうのを待っていた。愛しさで思い切り抱きしめてやりたくなったけど、手が臭くなるといけないので、少し遠慮した。サクラはしばらく喉や頭、お腹を出して

「ほら、ほら。」

と言っていたけど、僕がどうやら撫でてくれないということが分ると、諦めてまたタワシを咥《くわ》えた。

「ごめんな、サクラ。今度散歩行こな。」

気がつくとサクラの後を追ってきたミキが、僕のことをじっと見ている。何となく恥ずかしかったので、そのまま出て行こうとすると、驚いたことに、

「しっかりやりや！」

と言った。もし何か飲み物を飲んでいたら、僕はきっと噴き出していただろう。

「なな、何がやねん！」

「何がって、デートやろ？」

僕は、声を出すことが出来なかった。そしてもう、ミキには何も抗《あらが》うまい、この子を敵にするのは今後一切よそうと思った。でも、でもせめて、

「皆には内緒やで。」

と祈るような気持ちで言うと、ミキは阿呆《あほう》を見るみたいな顔で、

「内緒て、皆知ってんで。」

と言った。もし何か食べ物を食べていたら、僕はきっと喉に詰まらせて死んでいただろう。

「なな、何でやねん⁉」

「薫、昨日から歯磨きすぎやねん。新しい靴下出せとか、ちょんバレやし。知らんのサクラくらいちゃう？」

僕は自分が思っている以上に、阿呆のようだ。いや僕が阿呆なのではなく、恋が僕を阿呆にさせるのだ。ああ、恋ってやつは！　しかし僕の初デートを知っといて、何も言ってこない長谷川家に僕は改めて敬服し、さてそれなら、今日のデートは必ず成功（何をもって成功なのかは分らないけど）させるぞ、と思った。僕にとっても湯川さんにとっても、忘れられない一日になるだろう。

僕は勇んで門扉を開けた。

唯一僕のデートを知らないはずのサクラさえ、歩き出した僕に尻尾を振ってこう言った。

「いってらっしゃい！　恋っていいわね、うふふ。」

ミントガム

その日の夜、遅く家に帰ってきた兄ちゃんはサクラの頭も撫でず、まっすぐ自分の部屋へ向った。戸を閉めるその音や、すぐに聞こえてきたラジオの音で、僕らは兄ちゃんが泣くのをこらえているのが分かった。

僕に続き、兄ちゃんにも撫でてもらえなかったサクラは少しうな垂れて、いつも手も洗わず撫でてくれるミキの膝に、その体を預けた。

ただならぬ兄ちゃんの雰囲気に僕は落ち着きを無くしたけど、兄ちゃんのことを慮《おもんぱか》る余裕が、僕には無かった。

デートは、失敗だった。

「長谷川君?」

湯川さんのその声を聞いて、僕は十秒待てずに振り返った。湯川さんの手紙を読んだ日から、僕の中で生まれたメコンデルタが、アマゾンが、ナイルが、すごい勢いで流れていて、ごおごおというその音が聞こえるのではないかと思ったほどだ。でもその奔流は、湯川さんを見た途端、ぴたりとその動きを止めてしまった。そして動きを止めた後は、雨粒が空に帰るみたいに、どこかへ行ってしまった。

そこには、なんてゆうか、別人の女の子が立っていた。

遠慮がちな仕草や上目遣いの目、漂ってくるまあるい雰囲気は、あの、授業中に眼鏡をかける湯川さんその人だったけど、容貌が、まるっきり変わっていたのだ。

湯川さんの顔は、たくさんのニキビで覆われていた。ぼつぼつと大きなそれは他のものとくっついて、これからもどんどんその姿を広げようとしているみたいだった。湯川さんの顔はそいつらの油のせいで濡れたようにぎらぎらと光っていて、そしておでこにあるそいつらは湯川さんの眉毛をしかめさせた。それで湯川さんは、笑っていても泣いているように、そして怒っているように見えた。

「私って、分からへんかったんと違う?」

湯川さんは恐る恐るそう尋ねた。その場に立ち尽くしている二人を、歩きざま他の学校の女の子達がちらりと見ていった。僕の左手にはつぶれたガムが握られていて、そのまま強く握ると消えてなくなりそうだった。湯川さんの手を握るはずだったその手は、ミントの嘘くさい匂いがしみついて、帰ってからサクラに散々匂いを嗅がれた。

「歩く？」

湯川さんの質問に答えられずに、僕は公園を指差した。葉の抜け落ちた木がふらふらと頼りなげにその体を揺らしていて、その側を、白くてふわふわとして綺麗な犬、ミキが欲しがったようなそれが歩いていた。湯川さんは、少し悲しい顔をしてうなずいた。

「うん。」

包み紙から溢れたガムが僕の手をつついていた。何だか気持ち悪かったけど、ポケットから手を出すのが嫌で、ずうっとそのままにして歩いた。

「演奏会。」

「ん？」

「どうやったの？」

湯川さんは大きな固いケースを持っていた。恐らく管楽器の何かが入っているんだろう、時々持ち替えては重そうに歩いた。男としてそれを持ってあげるのが勤めだろうと思ったけど、それを言うのが恥ずかしくて、僕は知らない振りをして歩き続けた。

「上手くいったよ、すごい緊張したけど。」

「小学校の頃からしとったっけ？」

「ううん、全然。中学に入ってからやで。」

「何をやってんの？」

「何って？」

「楽器。」

「ああ、トロンボーン。」

湯川さんはケースを肩にかけて、トロンボーンを吹く真似をした。

「持とか？」

「え？」

「重そうや、それ。」

「ああ、これ？　平気よ、慣れたもん。」

湯川さんはケースをぽんぽんと叩くと、にっこりと笑った。

「長谷川君は。」

「うん。」

「何で部活入れへんの？」

僕は学校のことを手紙で逐一報告していた。どんなクラスメイトか、どんな先生か、サクラがどんな風に僕の顔をなめるか。湯川さんも、僕に色んなことを教えてくれた。お父さんが酔っ払って階段から落ちたこと、クラスメイトの喧嘩、部活の合宿。髪が伸びたこと、眼鏡をやめたこと、親知らずが痛いこと。でも、「私って分からへんかったんと違う?」という、その一言は何も書いていなかった。

「なんとなく。」

僕は、容貌のことを黙っていた湯川さんに腹が立った。それはまったくお門違いな感情で、湯川さんはどんなになっても湯川さんだということは、痛いほど分っていた。それでも僕は、湯川さんをこんなにした皮膚を、その皮膚を作った誰かを、怒りでぶん殴りたくなった。僕と湯川さんの恋を、一瞬で終わらすほどの力を持つ何かを全身全霊の力をこめてぶん殴りたかった。ああ、でもそれは、湯川さんと一緒に歩いていることを、誰かに見られやしないかとびくびくしている自分だった。あれだけ焦がれていた湯川さんの、その容貌が変わってしまったというそれだけで、その人への思いを容易《たやす》く曲げてしまう自分だった。僕は、消えてなくなりたい気持ちだった。

僕らはしばらく一緒に歩いて、お互いの近況なんかをぽつぽつと話した。それだけだった。

帰り道、湯川さんが
「また、手紙くれる?」

そう言った。それは本当に何てこと無い一言で、あの引越しの日の雨のように、ただただ僕に優しく降りかかるもの、それを聞いた僕が幸福に微笑んでしまうはずのものだった。でも、今のそれはぬかるんだ地面のように、どろどろと実体の無い澱《おり》のように、心のどこかを重く捕らえて、決して離してくれなかった。

「うん。」

出来るだけ普段通りの、屈託の無い返事をしたはずなのに、湯川さんはその日一番悲しそうな顔をした。まるで医者から、あなたが何か治る見込みの無い難病にかかっていますと宣告されたみたいだった。湯川さんは諦めたような、全てを受け入れた人の顔をして、ダッフルコートの前をしっかりと閉め、背筋をしゃんと伸ばした。

別れ際少し歩いてから、思い切ったように僕の方を振り返り、

「長谷川君、ありがとう。」

そう言って笑った。その頃には、遅くやってきた夕日が湯川さんの後ろから差していて、僕は眩しくてその姿をきちんと見ることができなかった。熱で溶けたミントのガムが、僕の手をべたべたと汚して、ああお風呂に入りたい、そう思った。お風呂に入って、布団に潜り込みたかった。そしてそのまま、ずうっと奥深くに潜っていきたかった。逆光からではなく、僕は恥ずかしさで、湯川さんの顔を見ることが出来なかったんだ。

「ありがとと。」

僕のその声はするべきことを無くしてしまったおじいさんのようにしわがれて、恋をしている男からは程遠かった。取り残された僕は、まるっきり阿呆のように立ち尽くしていた。青いダウンパーカーは、よく見ると袖のところが黒く汚れていてみすぼらしかったし、自分で切った前髪は不揃いで、僕の目を何度もつついた。何より背を曲げて立つ自分の影は、学年で一番高い体の

はずなのに、小さく小さく見えた。僕はまったく、小さい男だった。

それから、湯川さんから手紙が来なくなった。


湯川さんの手紙が来なくなって二ヵ月くらい経った頃、矢嶋さんが北九州に引っ越していった。お母さんの新しい恋人はいつの間にか矢嶋さんのお父さんになって、そしてその人は北九州で橋を作る予定だった。

受験勉強真《ま》っ只中《ただなか》の矢嶋さんは、引っ越すことに対して相当の抵抗を見せたし、それは、熱心に勉強する元不良・矢嶋さんの姿を見ていた担任の先生までも巻き込んでの大説得だったのだけど、それでも、お母さんの意思は出来たての氷のように固かった。

矢嶋さんの恋はお母さんの恋に呆気《あっけ》なく飲み込まれてしまって、兄ちゃんと同じ高校に行くという夢も、そしてサッカー部のマネージャーになるという夢も叶《かな》わなかった。

あの日部屋で泣いていた兄ちゃんは、そのとき心から
「早く大人になりたい」

と思い、そして遠く離れても矢嶋さんのことを思い続けようと決心したのだ。

まだ十五歳だった兄ちゃんと矢嶋さんは、いつか絶対に結婚しようと誓い合って別れた。十五年しか生きていまいが、三十六年生きていようが、人を恋することに力の高低は無く、僕は娘の幸せより何より自分の恋を取る矢嶋さんのお母さんや、十五歳の、その心の全部をぶつけて愛し

合っている兄ちゃんと矢嶋さんを思うと、息が出来なかった。
十三歳、とても寒い冬だった。

第4章

サキコさん

随分暖かな風が吹くようになった頃、長谷川家にちょっとした嵐が吹き荒れた。

ある日僕が学校から帰ると、ポストに見慣れない手紙が入っていた。それは春の怠惰な日で、二年生に進級した僕は相変わらずブラブラと暇をもて余していた。湯川さんからかと思ってどきりとしたけど、それは湯川さんからでも、矢嶋さんからのでも無かった。それは僕らの知らない女の人から、父さん宛の手紙だった。

父さんが帰って来たら渡そうと思っていた僕は、何となく、本当に何となくだけど、これは母さんには見せない方がいい類の手紙だと思った。水色の封筒の裏には、綺麗な女の人の字で
「溝口　サキコ」

と書いていて、これも何となくなのだけど、ファーストネームを漢字ではなくカタカナで書くのは相当親しい間柄なのでは無いかと思ったからだ。僕は父さんがまさか浮気だとかそんなことをしているとは思わなかったけど、うん、同じ男として、母さんには黙ってあげることにした。

ああでも、我が家には母さんの他に、もうひとり恐ろしい女性がいた。しかもその女の子は、

真夜中のフクロウみたいに勘が鋭いのだ。

ミキは僕がこっそり隠していた「サキコ」からの手紙をいつの間にか手に入れ、恐ろしいことに母さんの前で読み出した。

「アキオ、元気ですか？　手紙なんて書くの久しぶりだから、すっごく緊張しちゃった。」

「アキオ!?　しちゃった!?　何その馴れ馴れしい口調！」

母さんはすでに相当怒っていて、父さんの晩御飯のおかず、大好きなひじきの煮物をゴミ箱に捨てた。まだ暖かいひじきは、哀れにもゴミ箱の中で、誰かの切り散らかされた髪の毛みたいに散乱していた。

「アキオのお陰で、お店の方は順調です。問題といえば、皆がアキオにシット（これもカタカナなのが、何となくエロい）することぐらい。」

「嫉妬！　嫉妬て何やの!?」

油ののったとんかつまで捨てられて（僕らが食べたのに！）、ゴミ箱の中はちょっとしたカオスになった。

「アキオには一度お礼をしなきゃね。今度ごはんをご馳走《ちそう》します。」

みそ汁も、ごはんもポイだ！（もう散々だ）

「昔よく行った一寸亭、覚えてる？　あすこの蓮根饅頭《れんこんまんじゅう》が食べたいな。」

「ご家族はお元気？」

「私も随分おばさんになっちゃった。会うのが恥ずかしいナァ。」（どうやらこの人はカタカナが好きみたいだ）

その夜父さんは母さんの前で正座させられ、手紙の相手「サキコ」について尋問されることになった。僕らは母さんが三角形の目をしているのを初めて見たし、父さんの目の周りだけが赤くなっているのを見て驚いた。

しどろもどろの父さんが言うには、サキコさんは父さんの高校の同級生だった。

高校を卒業してすぐに水商売の世界に飛び込んで、三十年間こつこつと貯《た》めた金で、去年お店を開いた。そのときに父さんが「少し」お金を貸してあげたり、「たまに」店に顔を出したりして、それでかどうかは分らないけどサキコさんの店は流行っていて、その感謝の手紙を送ってきたのだろうということだった。

「なんでこんなに馴れ馴れしいのよ!?」

「馴れ馴れしい？　う、うーん。それは、そのう、同級生やし……。」

「同級生て、卒業して何年経ってる思てんのよ!?」

「三十、年？　いや、三十一年か……？」

「そんなんどうでもええ！」

僕ら兄弟は事の成り行きをハラハラした面持ちで眺めていた。誰も母さんを止めることは出来なかったし、サクラが

「どうしたんですか？　どうしたの？」

と母さんの脚にその可愛い前足をかけても、母さんは気付きもしなかった。

「ー！」

突然名前を呼ばれて驚いた兄ちゃんは、何を思ったのかすぐに
「すみません。」

と言った。言った後は恥ずかしそうに僕を見たけど、僕も僕で意味の無い苦笑いをするしかなかった。

「お母さんの部屋のタンスから、アルバム持ってきて！」

「アルバム？」

「そうや！」

「アルバムって、いつの？」

「お父さんの卒業アルバムに、決まってるやろっ。」

決まってるやろう、なんて言われても、兄ちゃんは父さんの高校の卒業アルバムを見たことも無いし、その存在さえ知らなかった。

ああでも、何度でも言うけど、我が家には真夜中のフクロウの、その親玉みたいに、恐ろしい勘を持つ女の子がいた。

「はーい！」

心なしかワクワクして階段を駆け上がって行ったミキは、五分ほどで埃にまみれた父さんのアルバムを持ってきた。僕と兄ちゃんはミキの嗅覚《きゅうかく》に驚いたし、少し嬉しそうなその様子を見て、背筋がぞうっとした。

「さぁ、指差してもらおやないの！」

「ゆ、指？」

「どの女か、指さし！」

父さんはそのとき、この世で一番情けない男の顔をした。もし何百年後かに僕ら人類の顔が全く変わってしまって、「太古の人類」なんて標本にされたら、父さんの顔は間違いなく「情けない顔」として陳列されるはずだ。

「ほほう、太古の人間は、情けないときはこんな風になったんですなぁ。」

父さんは

「それはちょっと。」

だとか何とか言って、指を差すことを散々しぶっていたけど、母さんのあまりの剣幕にびびって、とうとうページをめくった。母さんは父さんのめくるページを恐ろしい顔で見て、

「ほーう、一組とちゃうねんな。二組でもない、三組か!?」

といちいち父さんをびびらせた。ミキは

「四組や！」

とか
「先生かも？」

なんて母さんをあおって、僕と兄ちゃんはますますミキに恐怖を感じた。

かなりの時間をかけて父さんの手がやっととまったのは、十一組だった。

「たくさん組あんねんなぁ。」

思わず驚いてしまった僕に、父さんがほっとしたような顔で
「第一次ベビーラッシュや。」

そう言ったけど、母さんはそんな逃げを許さなかった。

「どいつや！」

父さんのびびりは最高潮を迎えていて、皆のご機嫌を取るのを諦めたサクラでさえ、興味深そうに父さんの顔を見つめていた。

「お父さんの顔が真っ青だ。」

でもその五分後、びびるのは僕らになった。ページを繰るよりも相当な時間をかけて父さんが指差した人の名前は、

「溝口　先史」

サキコさんはサキフミ君、それはそれはたくましい男の人だった。

愛のある嘘

父さんは高校時代ラグビー部だった。サキフミさんもラグビー部、でも屈強なその体軀《たいく》は意味をなさず、彼はマネージャーだった。他に二人の女子マネージャーがいたけど、サキフミさんの選手への甲斐甲斐しいお世話は、他の追随を許さなかった。洗濯物は洗いたての大根みたいに白く洗いあげたし、甘酸っぱいはちみつ漬けのレモンは皆の疲れを吹き飛ばした。力強くもんでくれるマッサージは他部の連中の間でも行列が出来るほどだったし、怪我をした選手を抱えあげて保健室まで全力疾走することも出来た。

サキフミさんはホモだった。高校の三年間、皆にマネージャーであることを惜しまれた彼は、たまに

「いやぁっ。」

なんて色っぽい声で笑ったり、やたら皆の体に触れたがるという妙な癖があったけど、周りの人には頑《かたく》なにそのことを黙っていた。皆は皆でなんとなくサキフミさんのことを怪しんではいたけれど、その素晴しいマネージャーぶりには頭が上がらないし、サキフミさん本人が言い出さな

かったので三年間は穏やかに過ぎていった。

サキフミさんがホモだということを知っていたのが唯一父さんだったわけだけど、それは何故か。いや簡単。サキフミさんは父さんに惚れていたのだ。

「アキオのことが好き。」

自分よりもたくましい男の人、しかもつい最近まで合宿ですぐ隣で眠っていた友達にそんなことを言われて、父さんは相当困った。そりゃあそうだ。しかも父さんは世間ズレしていないというか純粋というか馬鹿というか、皆が当然疑っていたサキフミさんホモ説を、微塵《みじん》も知らなかった。皆より自分にくれるレモンの方がハチミツが多い、返ってくるユニフォームが洗剤の他に何かいい匂いがする、自分のプレーを驚くほど記憶していて、的確なアドバイスをくれる、そんなサキフミさんの行動の裏の気持ちを、何も気付かなかった。女心が、いや、男心の分からない人だ。ややこしいな。

でも父さんはサキフミさんの気持ちを、そしてその性質を知っても、決して
「気持ち悪い。」

という類のことを言わなかったし、皆に言いふらすことも無かった。父さんはいい意味でサキフミさんのことをいち人間として見ていたのだ。父さんはいつもそうだ。僕らのことを子供扱いしたことも、ただの一度も無い。僕らはものすごく小さな頃から父さんに
「どう思う？」

と意見を聞かれたし、しどろもどろの僕らの意見にも、飽きず耳を傾けてくれた。たまに「それはちがう。」

などと大人の意見をとうとうと述べたりして、僕らは分からないなりに、自分を頼ってくれる父さんの気持ちが嬉しかった。

父さんはサキフミさんに、

「申し訳ない。」

と言った。そしてどれだけ自分がサキフミさんを頼りにしているか、感謝しているかを説明して、これからも今まで通り仲のいい選手とマネージャーでいようと誓い合ったのだった。父さんの男らしい態度にサキフミさんはますます恋心を強めたけど、男らしく、いや女の意地を見せて、ややこしいな。つまり父さんのことは潔く諦めて、残りの学生生活を過ごした。辛い恋だった。

サキフミさんは卒業後すぐに今で言うゲイバーの先駆けで働き、その頃から段々お化粧なんかもするようになった。父さんに言わせれば「罰ゲームみたいやった」サキフミさんの化粧は、段々要領を得てきて、少しずつ女らしくなっていった。

父さんが母さんにしどろもどろになっていたのは、実は父さんは昔「酔ったはずみで」サキフミさんとキスをしてしまったことがあったからだ。

「よよ、酔ったはずみやで！」

父さんは必死でそう説明したけど、僕らは

「ぎゃーっ。」

とか
「ひーっ。」

とか言って面白がった。母さんは驚くというより呆《あき》れた顔で、

「なんや。」

と言って、後は笑いが止まらなくなった。いつの間にかミキはサクラを抱いたまま眠っていた。

その三日後、僕らは生まれて初めておかまバーという場所に足を踏み入れた。ちょっといかれた母さんが、

「どうしても行きたい。」

と言って、もっといかれたミキが
「ミキも！」

僕らはそのおこぼれに与ったのだ。父さんは、

「ととと、とんでもない！」

またありえないぐらいに動揺していたけど、結局我が家の女性陣に負けて、僕らをサキフミさん、いやサキコさんの店に連れて行くことになった。

サキコさんの店は、「ラガーウーマン」という店だった。笑ってしまった。

父さんから僕らが来ることを聞いていたサキコさんは、銀河系を一身に背負ったみたいな総ス

パンコールのぴちぴちしたドレスを着て、狂気の画家のパレットみたいな顔で僕らを出迎えてくれた。

「いらっしゃーい！」

美しい母さんを見て、少し憂いの表情をしたけど、父さんにそっくりな兄ちゃんやミキ、何より体を小さくしている父さんを見て目を細めた。

「待ってたの、よーん！」

僕らひとりひとりの肩に置かれたその手は、父さんよりも、今まで見た男の人誰よりも大きくて、僕らはすぐにサキコさんのことを好きになった。

「座って座って！」

僕らが案内された席は、白いレザーが一面に張られている半円形の席で、そのつやつやとした質感とか銀色に光るガラスのテーブルとか、宇宙船みたいなところだった。そこにサキフミさんが座るとそれはもうまさに「宇宙旅行中」、僕らはお酒も飲んでいないのにふわふわと浮いているみたいな気分になった。

「宇宙船みたいや。」

ミキがそう言うと、サキフミさんは嬉しそうに笑った。

「そうよ、ここは地球ちゃうの！　周り見てみい、宇宙人だらけやろ!?」

確かに僕らの周りには「罰ゲーム感」に溢れた「おんなのひと」達がたくさんいて、腰をくねくねとくねらせて踊っていたり、全然似ていないマリリンモンローの物真似をしていたり、とにかく忙しそうだった。

「今日ここで見たことは、学校で言うたらあかんでぇ！」

サキフミさんはそう言って高らかに笑った。そう、それはまさに高らか、ナバホ族がお祭りの始まりを告げるような声で、ちっとも面白くなくても、たった今大切な髪留めを無くしてしまった女の子でも、思わず一緒に笑ってしまうような声だった。

僕らが気にしていたのが、サキコさんと母さんの関係だった。笑うときはいつも目尻を下げて、その柔らかな曲線がそのまま水平線にまで届きそうな母さんが、その日は少し緊張していた。マニキュアを塗った母さんの手は、ミキが相当気に入っていたけど、所在無げにグラスを持ったり髪を触ったりしていたし、少し高いヒールを履いた脚は、何度も組み直された。

サキコさんはそんな母さんを見て、ちょっと恥ずかしそうに、

「今日は来てくれはって。」

と言った。そしてそこまで言って、ちょっと困った顔になった。その顔を見られないようにするみたいににっこりと笑って、でもその後は、また恥ずかしそうにうつむいてしまった。

母さんとサキコさん、ふたりは恋敵《こいがたき》だった。

まだ子供の僕らにも、それは分かった。サキコさんはまだ父さんに恋をしていた。そしてその美しい妻を見て、言葉を詰まらせてしまったんだ。

僕らは母さんがどういう態度を取るか、その行方がとても気になった。ミキが「赤ちゃんの出来るまで」を聞いたときみたいに、「まあ見てなさい。」と、あの僕ら皆が安心してしまう顔を見せてくれるのか、それともサキコさんと同じように、恥ずかしそうにうつむいてしまうのか。とにかく母さんの態度で、今夜の行く末が決定してしまう瞬間だった。

ああ、でも、母さん！　僕らの母さんには、サキコさんの気持ちが分かった。痛いほど分かった。だって母さんも恋をしたんだ。誰かにわき腹をくすぐられているみたいに、いつまでもくすくすと笑う、何か大切なことを言うときは、いつも少し失敗してしまう、あの、子供みたいな男に。

母さんは、同じ男に惚れている女同士、いや男と女同士、ややこしいな。そう、人間同士、サキコさんのことをじっと見つめた。その瞳はお店の大げさなシャンデリアを反射してきらきらと光っていたけど、幽霊さえも油断して眠ってしまうような暗闇の黒は、シャンデリアの光なんかに負けなかった。それはすぐさま漆黒《しっこく》の輝きを取り戻して濡れていたし、誰かの悲しみを瞬時に嗅ぎわける鼻は、ぴくぴくと優しく動いた。そして、「大丈夫よ。」そう言うのが一番似合う、羽化する直前の何かのサナギみたいな口で、こう言った。

「ありがとう！」

それはサキコさんより誰より大きな声で、しかもこの店では珍しい、正真正銘の女の人の声だった。

サキコさんはびっくりしたみたいに目を大きく開いて、母さんを見た。言葉の続きを言われてしまって面食らっていたけど、母さんがグラスを手に持ったので、慌てて自分のグラスをそれに打ちつけた。

チン！

ははは、笑っちゃうくらい軽い音を立てて、ふたりは一息でお酒を飲み干す。僕らは、母さんがお酒を一気飲みするところなんて初めて見たから、本当に驚いてしまった。

「ありがとう！」

ふたりは馬鹿みたいに笑って、たくさんお酒を飲んだ。そしてその後は、昔から知っている友達同士みたいに、内緒話をしたり、父さんを見てくすくす笑ったりした。

ふたりに笑われて、父さんは照れくさそうな顔をしたけど、自分の親友と、誰より愛してる妻の頼もしさに満足そうに目を細めて、またお酒を飲んだ。

そう、父さんと母さんは、本当に本当によく飲んだ！

僕らは母さんが、ミキより小さな女の子みたいにグラスを倒してしまうのを初めて見たし、父さんが大きな声で歌を歌うのも初めて見た。ふたりは全く、僕ら子供がいることを忘れてはしゃいでいて、その置いてきぼり感が、僕らには心地よかった。

母さんが少しふらついた脚でトイレに行ったとき、サキコさんが僕らに

「お父さんと、お母さんのこと、好き？」

そう聞いてきた。

僕と兄ちゃんは男だったし恥ずかしかったけど、サキコさんの真っ黒に縁取られた目は銀河系の星屑《ほしくず》を反射してキラキラと光っていて、とても優しかったから、

「好きです。」

と答えた。

「そう。」

サキコさんはげふうっと、男らしいげっぷをした。父さんは店のお客さんと顔なじみらしく、違うテーブルに呼ばれてお酒を飲んでいた。たまに僕らの方を見て、にこにこと嬉しそうに手を振ってくる。

「あんたたちも、いつか、お父さんより、お母さんより、好きな人が出来るんよ。」

サキコさんの声は、隣の席のリリーさんという太った女の人（？）の笑い声に邪魔されて、よく聞き取れなかった。

「いやあ！　リリーも連れて行ってよう！」

リリーさんにばしばし叩かれて、お客さんが苦笑いしている。ミキが興味深げにその様子をじっと見て、たまににやにやと僕らに笑いをなげかけた。

「それでな、」

サキコさんは、もう、誰に話しているのか分らないという感じ、リリーさんの声にかき消され

ているのに、お構いなしに話している。

「いつか、いつか、お父さんとお母さんに、嘘をつくときがくる。」

僕と兄ちゃんは尊敬する先輩から大切な話を聞くときのように、手を膝の上に置いて熱心にサキコさんの話に耳を傾けた。リリーさんを見ることに飽きたミキが、兄ちゃんが残したコーラにストローでぶくぶくと空気を吹き込んで、また炭酸を復活させようとしていた。

「お父さんと、お母さんは、あんたらのこと愛してるからね。」

サキコさんは、目をつむって、一言一言ゆっくりと話した。僕の手を握っている右手に、たまにぎゅうっと力をこめるから、僕はサキコさんが僕らにではなく、自分に話しているのだということが分かった。

「嘘をつくときは、あんたらも、愛のある嘘をつきなさい。騙《だま》してやろうとか、そんな嘘やなしに、自分も苦しい、愛のある、嘘をつきなさいね。」

ミキが力強く吹いた二酸化炭素は量が多すぎて、兄ちゃんのコーラがテーブルに溢れた。

ミキは
「うわあ。」

と言って、テーブルにこぼれたそれをストローで吸った。

サキコさんは帰り、僕らを駅まで送ると言ってくれたけど、酔っ払ってどこかに服を引っ掛け、ぼろぼろとたくさんの星屑を落とす始末だったので、丁寧に断った。

その日は電車で帰った。

地下鉄のホームで、父さんと母さんが手をつないでいた。僕らは気をきかせて父さんたちからひとつ向こうの車両に乗ることにした。少し赤くなった母さんの耳たぶには、普段見ることが無い綺麗なイヤリングがぶらさがっていて、それは母さんの指に光っている指輪と同じブルーをしていて、母さんは父さんに恋をしていた。父さんはいつもと同じ、洗濯しすぎて薄くなったポロシャツを着ていたけど、電車が揺れるたびにそっと母さんの腰に手を置いて、その手はふわりと曲がっていて、父さんも母さんに恋をしていた。

恋するふたりの子供達、すなわちあの頃の僕らは、他の家の子供達より、少しませていたと思う。僕らは父さんと母さんを、自分の両親としてはもちろん、それ以上に、一組の恋する男女として見ていた。その姿は、よく分からないけど僕らを勇気付け、そしてなんだか悲しい気持ちにもさせてくれたんだ。

地下鉄の窓からは何も見えないけど、ミキは熱心に外を見ていて、時々
「サクラ。」

と呟いた。


その年の冬、サキコさんのお母さんが亡くなった。

僕らは父さんから、サキコさんのお父さんはサキコさんが小学生のときに亡くなったこと、女

手ひとつでサキコさんとお姉さんを育て上げたお母さんが、随分前から入院していたことを聞いた。

お葬式の日、サキコさん、いやサキフミさんはダブルのスーツを着て、髪の毛をオールバックにしていた。お店で見た、あのふわりとした優しい女の人のイメージは微塵もなくて、僕らは
「よう来てくれたね。」

と声をかけてくれた男の人がサキコさんだと分るのに、少し時間がかかった。

でも、僕らの肩に手を置くそのやり方や、何より大きな大きなその手で、僕らはそれがサキコさんなのだということ、そしてサキコさんが今まさに愛する人を亡くしてしまった悲しみに、必死で耐えているのだということが分った。

サキコさんはそれはそれは立派な態度で喪主としての勤めを果たし、お葬式の間一度も泣かなかった。

「母に、孫を見せてあげることが出来なかったのが、唯一の悔いであります。」

写真の中のお母さんは誇らしげに、自分の息子が挨拶するところを見ていた。

その頃ミキは急激に背が伸びて、一緒にいる僕らが驚いてしまうほど女らしくなっていた。サキコさんの店でテーブルにこぼれたコーラを飲んでいたのはほんの半年ほど前の話なのに、お祝いのお赤飯を食べてから（僕らはそれをミキの初潮だと気付かなかったけど）、ミキは急激に成長していた。

ふわふわと浮いていた髪の毛はぴたりとミキの頭に沿って、その形の美しさを際立たせていたし、誰より高い位置にある腰は、芽吹きだした木のようにしなやかだった。アーモンドの目は相変わらず所在無げだったけど、ひとたびミキに見つめられると、雨が降っていることを忘れて裸足で地面を踏みしめたくなるような、不思議な気分になるのだった。

サキコさんはミキの黒い髪がどれだけ綺麗に輝いているか、体にぴたりと沿った喪服がミキをどれだけ美しく見せるか、たくさんの賛辞をミキに送った。ミキは少し微笑んで、ただ黙ってサキコさんの手を握った。まったく驚いてしまったのだけど、それで、サキコさんは、その日初めて肩を震わせて泣いた。

「愛のある嘘をつきなさい。」

そう言ったサキコさんは、まさにその嘘でずうっと苦しかったんだ。

あの日サキコさんの話なんて何も聞いていないみたいだったミキが、僕より兄ちゃんより誰よりそのことを分ってあげているような気がして、僕らは改めてミキの持つ不思議な力に驚いた。

暖かくなると、街には少しいかれた人が多くなる。

フェラーリなんかは年中いかれていたけど、冬の間は廃車の陰でじっとしていたし、ミキがよく
「変なおっさんがちんこ見せてきた。」

と言っていたのも夏だったり初夏だったり、とにかく暑くなると皆頭のたがが少し外れてしまうようだ。

その年の夏も、僕らは暑さにやられて、庭で水浴びをしていた。サクラは水が嫌いなので僕らが水道の蛇口を勢いよくひねると慌てて犬小屋に閉じこもった。兄ちゃんと僕は上半身裸になってじゃぶじゃぶと水を被ったり、その格好のまま芝生に寝そべったりして、それはそれでいかれた感じを楽しんでいた。

ミキは兄ちゃんの部屋のベランダから僕らを見下ろして、

「薫細すぎ。」

と言ったり、唾を吐いたりして笑った。

そのとき、母さんが大慌てで庭に入ってきた。

「サクラ！」

僕らの方を見てそう言うので、僕らはやばい、母さんもいかれてしまった！　そう思ったけど、お利口なサクラは

「はいはい、なんでしょうー？」

大嫌いな水を避けて母さんの足元に座った。

「サクラのお医者さん捕まった。」

サクラのお医者さんという母さんの表現はおかしい。サクラを見てもらった病院のお医者さん、つまり妖怪だ。

妖怪は、本当に本当に動物を愛していた。脚を怪我したゴールデンレトリバーも、右目がつぶれたペルシャ猫も、捨てられたチャボも、そのチャボを飲み込もうとするニシキヘビも。でもその愛は、少しおかしかった。愛が深すぎたといおうか、つまり妖怪は、自分の「恋人として」、動物を愛していた。

妖怪も夏だからいかれたわけじゃないけれど、クーラーを切った閉院後の病室で、マルチーズの「マリーちゃん」に「何か」をしているところを、看護婦さんが見つけた。

その「何か」を僕らは相当知りたがったけど、母さんは
「気持ち悪い！」

そう言うばかりで、後は
「サクラ、良かったなぁ、何もされへんで、良かったなぁ。」

と、サクラをぐいぐい自分の胸に押し付けるので、サクラが苦しそうな顔をした。

病院はあっという間に取り壊されて、「めろでぃ」だか「みゅーじっく」だか、音を表す名前の

スナックになった（ここも半年ほどでつぶれた）。

　僕らのいかれた気分とは裏腹に、兄ちゃんのところへ毎日のように来ていた矢嶋さんからの電話や手紙が、その夏からぱったりと途絶えた。

　それは、毎朝当たり前のように鳴いていた鳥達が、急に沈黙してしまったみたいだった。ポストの中に綺麗な色の封筒を見ないようになると、まるでそこだけモノクロになってしまったみたいだったし、

「一君、いるかな？」

という、電話越しの矢嶋さんの、圧倒的に恋をしている声を聞かないと、ぼくにとって信じるべきものが無くなってしまうような気がした。

　兄ちゃんはサッカー部の練習が終わると、真っ先に家に帰って来てはポストを覗いた。でもそこは皆が帰った後の教室くらい空っぽで、兄ちゃんはがっくりと肩を落とす。兄ちゃんの方から電話をかけても、その電話は話し中か、コール音を二十回ほど響かせて切れてしまう。まるで矢嶋さんが、兄ちゃんからの電話を予測して避けているみたいだった。

　兄ちゃんは、間違って波打ち際に咲いてしまったタンポポみたいに、ぐったりとうなだれたように考え込むことが多くなった。

　あんなに熱を入れていたサッカーの練習も休みがちになって、家に帰ってきても、部屋に閉じ

こもってしまう。結婚を約束していたふたりの恋は、大きな危機を迎えていた。

僕や母さんが心配して部屋を覗くと、兄ちゃんはぼうっと座って、サッカーボールをもてあそんだり、気まぐれに雑誌を手に取ったりしていた。そして思い出したように顔を上げて、

「あー、くそ。」

と言った。その頃の兄ちゃんの口癖になったそれは、その後、ミキが使うようになった。人んちのポストから、新聞を取ってきたミキだ。

隣の部屋から聞こえる「あー、くそ。」を耳にしながら受験勉強をするのが、その頃の僕の日課になった。たまにミキが兄ちゃんの部屋へ入って、何か話している声は聞こえたけど、いつも馬鹿みたいに早口に話すミキが、そのときはゆっくり、嚙み締めるように話した。壁越しに聞こえるそれが、たまに母さんの声に聞こえることがあって、僕は時が経ったことを思った。

中学三年生になった頃から僕は、自分が思っていたよりも、相当頭がいいと思われるようになった。確かに学年末テストや実力テストでは、大して勉強しないのにいつも二番だったけど、僕の場合、勉強が出来るのとはちょっと違った。兄ちゃんとミキが驚くべき記憶力を持っているのに対して、僕には驚くべき暗記能力があった。教科書をぱらぱらと眺めていると、それがいつの間にか頭に入る。テストの問題を見て、

「ああこれは、四十二ページの欄外に太い黒字で載ってたあれだ。」

という具合だ。数学も理科も国語も社会も、全て教科書を丸暗記した。

兄ちゃんとミキの瞬発力は僕にもあって、でもそれは体力的なものではなくて、この暗記力に付随していた。テストが始まると、爆発的に覚えたものが頭に浮かんで、終わった途端綺麗さっぱり忘れてしまう。勉強している間はその記憶を体に溜め込もうとしているみたいに、面白いように太ったし、テストが終われば産卵を終えた鮭《さけ》みたいに、一気に痩せる。

受験勉強をした実質半年の間、僕は相当太った。何せ三年間分の教科書を覚えるのだ。その頃には学校一ののっぽになっていた僕は、廊下を歩くと下級生たちが脇によけてくれるような迫力を持ってしまった。

「薫はやせすぎやからその方がええ。」

と、母さんやミキは言ったけど、僕は急激に増えた体重が行動を制限してるみたいで嫌だった。何より嫌だったのは、兄ちゃんの背を抜かしてしまったことだ。兄ちゃんは矢嶋さんと連絡が途絶えてからというもの、めっきり食欲が無くなって、頬も昔のギリシャ彫刻みたいに影が出来るようになった。

兄ちゃんの背を越したことに気付いたのは、サクラの散歩用の鎖を兄ちゃんに渡したときだ。兄ちゃんはその頃、自宅謹慎中だった。長崎への修学旅行中、宿泊先を逃げ出して矢嶋さんに会いに行こうとしたからだ。でも、脱走中に繁華街で喧嘩しているところを警察に見つけられ、先生に大目玉をくらった。家に来た担任の先生と、うちの母さんに「どうして、そんなことをしたの。」と詰め寄られても、兄ちゃんは決して口を開かず、ただただ自分の体を折り曲げて座り続けた。その姿はまるでインドの苦行僧のようで、あんなに大きかった兄ちゃんの体が、矢嶋さんへの想いとは裏腹に、小さく小さくなっていくのを見て、僕は胸が痛んだ。

兄ちゃんは部屋に閉じこもる期間を過ぎ、今度はサクラと二時間ほども散歩に行く期間に入ろうとしていた（その後兄ちゃんは、辛いことがあるといつもサクラを道連れにするようになった）。

散歩に行こうとしていた僕に兄ちゃんが
「俺が行くわ。」

と近づいてきた。結構久しぶりの散歩にわくわくしていた僕だけど、ああきっと兄ちゃんは今辛いんだろうなと思って鎖を渡した。

「頼むわ。」

そのとき僕は、少し兄ちゃんを見下ろしていた。兄ちゃんも兄ちゃんで、僕を少し見上げていることに気付いて、驚いた顔をした。ふいをつかれた人間の顔というのは、情けないものだ。僕は兄ちゃんのそんな顔を見たくなかったけど、兄ちゃんはとても間抜けな顔で、

「薫も……。」

と言ったきり、黙りこんだ。続きが聞きたかったけど、兄ちゃんはそれ以上何も言わず、サクラの首に鎖をつけた。

家族の誰よりも背が低いサクラは、皆を見上げることに慣れているから、兄ちゃんの軽いショックを分ってあげることが出来なかった。尻尾をちぎれんばかりに振って、鎖をつける兄ちゃん

の手首を愛情こめて噛んだ。

「一君、今日はどこ行くぅ？　うふふ。」

兄ちゃんは謹慎がとけるまで、もう散歩に行かなかった。そしてポストは、相変わらず空っぽなのだった。

ゲンカン

受験勉強中の事件がもうひとつある。僕は童貞を失った。

相手の女の子は、学年でいつも一番を取る須々木原環さんという女の子だった。

僕は廊下に貼り出されたテストの上位表の、「一位　須々木原環」という字を見て、いつもどこからどこまでが名字なんだろうか、と疑問に思っていた。学年の皆には
「また一位はゲンカンかよ。」

と言われていたけど、彼女の名前は「すずき　げんかん」では無く、「すずきはら　たまき」だった。名字の「原」は余計な気もするけど、僕はとても綺麗な名前だと思った。

ゲンカン（皆にそう呼ばれていたから、僕もそう呼ぶことにする）はアメリカ帰りの帰国子女

だった。一年生の秋に転入してきた当時はアメリカナイズされたその仕草やままならない日本語で、皆から随分敬遠されていたし、日本語で進められる授業に相当苦しんでいた。アメリカンスクールに入れてくれなかった両親を随分うらんだそうだけど、両親はゲンカンに日本人として熱心に勉強することを望んだ。

実際、ゲンカンのガッツはすごかった。

学校が終わると、毎日猛烈に勉強した。小学校の国語の教科書を飽きるほど読んで、日本語講座のテープを繰り返し聴いた。家ではいつも英語で話していたのを完璧《かんぺき》に日本語に代えて、日本の歴史を徹底的に勉強した。

それこそ僕らには想像もつかないほどの努力をして、ゲンカンは一年生が終わる頃には枕草子、源氏物語、とにかくありとあらゆる日本の古典文学を読破し、社会の先生もびびるくらい、日本の歴史に詳しくなっていた。ほぼ固定だったテストの上位表にその名前をちらほら見せるようになって、その頃ちょうど僕の名前も気まぐれに顔を出すようになっていたので、僕らふたりはガリ勉連中の脅威になっていた。

僕とゲンカンは三年間一緒のクラスになることは無かった。でもたまに廊下ですれ違うときに、ふわあっと香水のいい匂いをさせていることがあって、さすが帰国子女だなぁと思っていた。その程度だった。

その日僕は図書館で必死で勉強する同級生達を尻目に、兄ちゃんに借りたランＤＭＣのテープを聴きながら、のんびり帰っていた。中学校の側には橋があって、橋を渡りきったところにサクラをいつも散歩に連れて行ってやる公園があった。その日は暖かく、随分ゆったりとした気分だった僕はいつもぐるぐる巻きにしてるマフラーを外して、少し遠回りして公園を通って帰ることにした。

遠くにサクラに似た犬が、くんくんと地面の匂いを嗅ぎながら散歩していて、木の葉っぱが踊りを誘ってるみたいに、くるくると僕の周りを舞った。

缶コーヒーでも買おうかと、僕がポケットの小銭を確かめたとき、

「いったぁーい！」

女の子の甘ったるい声が聞こえた。

手に一〇〇円を握ったまま声のした方を見ると、髪の長い女の子が、足首を持ってしゃがんでいた。その髪は腰まで届くくらい長く、つやつやと光っていて、「肩より長い髪はしばる」という学校の規則を馬鹿らしいと思っているゲンカンだということがすぐに分った。

後ろ五メートルほどを歩いていたのであろうゲンカンに気が付かなかったことに驚いたけど、女の子がどうやら困っているらしいので、僕は缶コーヒーを諦めてそちらへ向った。

「大丈夫？」

僕がすぐ隣にしゃがむと、ゲンカンからは例のいい匂いがした。

「脚をくじいたみたいなの。」

徹底的に美しい日本語を勉強したゲンカンは、綺麗な標準語を話す。

「なんでやねん。」

「ほんま？」

なんて言葉が飛び交っている廊下で、

「どうしてなの？」

「ほんとう？」

というゲンカンのよく通る声を聞いていると、何故か分らないけど
「女の子は、こうでなくっちゃ！」

そう思ったりもした。

見たところゲンカンの足首は赤くも青くもなっていなかったけど、代わりに綺麗な色の網紐が足首に巻き付いていて、それがそんなに細くない足首をきゅっとくびれたように見せている。僕はゲンカンが、自分のことを可愛く見せるために必死の努力をしているのだなぁと思った。

「長谷川君、だよね？」

そのとき初めて、顔をあげたゲンカンの顔をまともに見た。女の子の顔をこんなに至近距離で見たのも初めてだったし、目をじっと見つめられたのも初めてだった。

ゲンカンの目は、ザ・日本人、つまり外国人が想像するであろう日本人そのままで、とてもあっさりとした一重、狐《きつね》みたいに耳の方に釣りあがっていた。眉毛は、生えるのに任せるのじゃな

くて、僕の母さんみたいに綺麗な弓形でおでこに寝そべっていて、唇は大急ぎで揚げ物を食べたみたいにつやつやと光っていた。

僕は突然目の前に投げ出された「女の人」の空気に戸惑い、少しむせてしまった。

僕が咳き込むのを、母親の優しさでもって見守ってから、ゲンカンは僕の目をじっと見て、

「家まで送ってくれない？」

と言った。

本当に、速い展開だった。

ゲンカンの唇が僕に触れるのも、ふたりで裸で抱き合うのも、何よりひとりでするそれとは比べ物にならないくらい、ケリがつくのも速かった。

ゲンカンは本当に、大人の女の人みたいにそれをやってのけ、くすくす笑って僕のことを前から狙っていて、今日はまんまと引っ掛けたと言った。

僕は、相当混乱していた。

生まれて初めて腕枕というものをしたのだけど、僕の脇にすっぽりと納まったゲンカンの体は、初めて見たミキみたいに柔らかくて、香水とは違ういい匂いがした。

決して大きくはない胸だったけど、僕のわき腹に押し付けられたそれは、僕を圧迫するのに充分だったし、僕の脚に絡みついたゲンカンの脚は、意思を持ったみたいに僕をくすぐって、僕はどうしようもない気持ちの高ぶりを抑えることが出来なかった。

あまりに速くケリがついたそれは何度も何度もゲンカンを欲しがって、終わる頃には、ゲンカンも僕もぐったりした。ゲンカンは僕の体を

「素敵。」

と言い、僕が歩いている姿がどんなに自分の心をくすぐったか、「長谷川薫」という文字が、どれだけ自分を微笑ませたか、公園で僕を見かけたときに、どれだけ裸で抱き合いたいと思ったかを、ずうっと話し続けた。ゲンカンはそれをしている最中にもずうっと話し続けるので、遠くから聞こえてくるゲンカンの声を聞いて、僕はゲンカンが遠い星からやってきた、何か得体のしれない生物のような気がした。

ゲンカンの部屋には世界地図が貼ってあって、それをじっと見ていると、突然強烈に、

「ああ旅に出たい」

と思った。

僕の家は相当リベラルな家庭だけど、ゲンカンの両親は、それに輪をかけたような人達だった。次の日、僕のクラスに現れたゲンカンは、

「パパとママにもらったの。」

と言って、小さな包みを渡していった。急に僕を呼んだゲンカンを見て、皆が不思議そうな顔をしたけど、僕はなるたけなんてことないよ、て顔をして席に着いた。でも、包みの中身を見て、

「なんてことない」顔が出来なかった。そこには、コンドームが三つ、恥ずかしそうに入っていた。

そのとき僕が咄嗟《とっさ》に思ったことは、

「あと三回出来るのか。」

ということだった。

男としてそれはどうかと思うけど、僕はゲンカンと付き合う気は全く無かった。

ゲンカンに愛情を感じなくも無かったけど、どちらかというと僕の興味はゲンカンその人ではなく、ゲンカンの体にあった。それに、あまりに急な出来事で、僕の心がまだ体についていかなかったのだ。

それでもいつの間にか、僕とゲンカンは皆の公認のカップルになっていた。一番のゲンカンと二番の僕のカップルはちょっと話題になったけど、僕は

「長谷川君のこと、好きやったのにな。」

なんて可愛く言ってくる女の子もいたりして、しまった！と思うことが多かった。勝手な話だけど、ゲンカンにまんまとはめられたような気さえした。

ゲンカンは、それはそれは熱心に僕の教室に通ってきた。あるときはお弁当を持って、あるときは「お気に入り」の本を持って。「長谷川君！」だったそれは「薫！」になったし、皆の前で僕のお腹を撫でて、

「薫、もっとワークアップしなきゃ駄目よ！」

なんてことを言った。

受験勉強に必死になっていた連中は、急いでワークアップという単語を調べたし、あんまり勉強する気が無い奴らは、気楽に僕のお腹に触るゲンカンを見て、

「こいつら、やってるな？」

とにやついた。

実際僕は童貞連中から性のレクチャーを申し込まれることが多くなった。

でも僕は、はっきり言って連中に教えられることなんて何も無かった。一度セックスの味を覚えてしまった僕は、兄ちゃんと同じ、猿のようにその快楽に身を任せていたけど、テクニックの面でいえば、完璧にゲンカンに任せっきりだった。恥ずかしいけれど、ゲンカンが動くとそれだけで僕のそれは終わってしまったし、ゲンカンが舌を使うと、僕のそれはまた活力をみなぎらせた。三つだったコンドームも、あっという間に無くなった。

ゲンカンのご両親はゲンカンの熱烈な恋を知っているみたいだったし、コンドームが急激な勢いで無くなっていることも知っていたけど、ゲンカンの成績も僕の成績も落ちることは無かったし、何より僕がいつもお土産に持って行くシュークリームやら羊羹《ようかん》やらを喜んで、僕らの交際に何も反対しなかった。たまにゲンカンのお父さんが僕を釣りに誘うことなんかもあって、僕はますますゲンカンと深い関係になってしまった。

僕は希望通りの高校に進んだ。担任の先生に

「長谷川は、もっといい学校に行ける！」

と散々勧められたけど、僕は進学校のがちがちした雰囲気よりも、自由な校風の学校を望んだ。

僕の行く高校は、僕の家よりももっと都会の方にあったけど、なんてゆうか校内にはのんびりした田舎《いなか》のような雰囲気が漂っていた。制服はあるにはあるのだけど、皆ズボンやスカートだけはいて、後は好きなトレーナーやブラウスなんかを着ていた。ピアスをしている子やパーマをかけている子がざらにいて、でもけばけばしい感じや反抗心などが見られず、ただ好きでやっていますという感じ、それを咎《とが》める先生もいなかった。

随分自由だった僕の学校だけど、それでもゲンカンの学校とは比べ物にならなかった。僕の学校と二日違いの入学式だったゲンカンは、当日真っ赤なマニキュアをして、鼻にピアスまでしていった。マニキュアと同じ真っ赤なドレスを着て颯爽と出かけて行ったゲンカンを、

「あれじゃあ、いくらなんでも目立ちすぎるだろう。」

と心配していた僕だけど、帰ってきたゲンカンいわく
「駄目！　あたし地味だったわ！」

だった。

ゲンカンは中学のときと違う、エキセントリックな友人達に囲まれて、相当楽しそうだった。それこそ水を得た魚のようにいきいきと飛び跳ねて、僕に対する舌使いも、もっとアグレッシブになった。その最中に出す声が英語になったことに僕は驚いたけど、まぁそれも悪くないと、僕

もせっせと体を動かした。

つむじ風

「おい長谷川、お前の妹紹介してくれや。」

この言葉は、僕が中学から高校の間に、周りの男達から一番多く言われた言葉だ。それはもう、耳にタコが出来て、部屋をつくって居座ってしまうぐらいに。

とうとう中学生になったミキは、我が母校の花になった。

あまり笑わない顔はますます整って、ヒヤシンスだとか水栽培出来る花のような、何か凛とした涼しさを称えていた。クールな雰囲気は矢嶋さんに似ていなくも無かったけど、その美しさと破壊力で、ミキは圧倒的だった。

「長谷川君の弟。」

と呼ばれていた僕は、もしミキと在学がかぶっていたら

「長谷川さんのお兄ちゃん。」

と呼ばれるようになっただろうし、今よりももっと、お決まりの

「お前の妹紹介してくれや。」

を聞かされただろう。

その美しさで皆の注目を一身に浴びたミキは、次にその態度のでかさで皆をびびらせることになる。幼稚園のときに、そのモテぶりと共に伝説になった暴力性は、今なおミキの性格の核となっていた。

ミキは入学後二日目で、先輩達の呼び出しを食らった。これはちょっとした記録だ。

ミキはセーラー服のエンジのリボンを人より短めに結び、スカートも三センチほど短く仕立てていたのだけど、まずそれが先輩女子達の気に入らなかった。ミキにしてみたらエンジのリボンが短いのは不器用なだけだし、スカートを短く作ったのはその方が動きやすいからだ。ミキは全く、男の子の目を引こうという考えが頭に無かった。許されるのであれば、きっとそこいらで立小便をしたし、サクラを触った手を洗わない、歯を磨かない、おならをぶちかます、それは幼稚園から全く変わっていなかった。だから、

「あんたちょっと、生意気ちゃうん？」

「なんなん、そのスカート。」

に始まる、先輩達の脅しも、ミキにとっては屁《へ》にも糞《くそ》にもならなかった。

「忙しいときに呼び出して、それかい。」

先輩達が次の一言を言おうとしたその瞬間には、ミキは思い切り唾を吐きかけてその場を去っ

た。呆気に取られた先輩が、

「ちょっと待ちいや！」

と後を追いかけ、四、五人で散々ぶって泣かせてやろうなどと思っていたのだけど、ミキの喧嘩の強さは相当なものだった。

喧嘩が強いというのは、決して腕力だけがものを言うのでは無い。いかに相手のふいをついて一気に攻め込めるかなのだ（これはミキに聞かされた）。

幼稚園時代から大人顔負けの高等テクニックを見せていたミキは、まずリーダー格の奴を野性的な嗅覚で瞬時に判断、その場に落ちていた石を出鱈目な方向に投げて皆の注意をそちらに惹きつけた瞬間、もうその女の子の顔を、思いきりぶん殴っていた。それはもう、二メートルほどふっとぶくらいに。もちろん、お決まりのグーだ！

皆がびっくりしてふっとんだ女の子を見ると、もうミキは近くにいた女の子に膝蹴りを食らわし、もうひとりの女の子の背中に思い切り靴の跡をつけて、悠々と歩いて帰ってきた。無傷だった。二人ほど残したのは、

「そいつらが周りにあたしが喧嘩強いこと言いふらす。」

ためだ。ハッピーターンを食べながらつまらなさそうに言うミキを、僕は驚愕《きょうがく》の目で眺めたものだ。

注目を集める点では兄ちゃんと同等かそれ以上なのに、どうもミキは兄ちゃんと違ってすぐ嫌

われてしまうようだ。幼稚園時代の敵が先生ならば、今の敵は女子の先輩だった。

ミキのポリシー（そんなもの、ミキにあるのかどうか分からないけど）は、「売られた喧嘩は必ず買う。」だ。どんなに安かろうが、高かろうが、タダだろうがローンだろうが、ミキは少しでも臨戦体勢を取られると、猛烈なファイトを見せるのだった。でも、ミキの闘争心は非売品で、決して自ら「売る」ことはしなかった。ある意味ミキは、とても面倒臭がりな女の子だった。

このまま永遠にミキの血みどろの抗争が続くかと思われたが、しかしそれは突然終わった。それは、ミキが生まれて初めて喧嘩を「売った」、歴史的な日だ。

ある日ミキは、二階の廊下から、中庭を見下ろしていた。皆が体育の授業に行ってしまって、ミキはひとり、ぼんやりとしていた（おかしな話だ。ミキは体操着を忘れて、ただそれだけで堂々と授業をさぼってしまう人間だった）。そのとき、中庭をいつもの不良グループが通った。ミキに喧嘩を売っては何かしらの泣きを見ている女の子達だ（しかし、若いってすごい。懲りないんだから）。彼女らは、いつものように授業をさぼり、どこかでタバコでも吸おうと、初夏の午後をぶらぶらと過ごしていた。でも午後の平穏は、あっさりと破られた。空から、バケツと、ホウキと、椅子と、机と、そして最後に、女の子が降ってきたのだ。どんなに驚いたことだろう。彼女らは、全く平衡を失ってしまった。降ってきたそれらは、あたかも自分達をおびやかすかのように体すれすれの所に落下し、最後に降ってきて地面にぐたりと寝そべっている自分たちの宿敵は、明らかにどこかの骨が折れているくせに、自分達をにらみつけているのだ。彼女らは命の危険を感じ、恐怖でパニックになり、それから二度と喧嘩をしなくなった。

ミキのこの意味の分からない、だからこそとても恐ろしい行動は、その後長く伝説となった。病院でギプスをはめた脚を投げ出して、母さんの泣く声も父さんの怒声も、先生の説教ももちろんしかとして、ミキは自分の世界に埋没していた。僕と兄ちゃんは、手に負えない妹を愛していたけど、さすがにこのときばかりはミキの訳の分からなさについて行けなかった。

ひとつ良かったことと言えば、この瞬間から、ミキは喧嘩をしなくなった。


その頃僕と兄ちゃんはよく、兄ちゃんの部屋で遅くまで話した。

兄ちゃんの部屋は家族の中で一番狭い部屋だったけど、僕は家の中で一番好きだった。そこにはサッカーの雑誌やレコード、ＣＤや本がたくさんあって、兄ちゃんはまめに掃除をするほうではないから散らかっていたけど、そこにあるものはどれも使い込まれていて、埃が溜まることが無かった。

僕は兄ちゃんからアースウインドアンドファイヤを教えてもらったし、ランＤＭＣやアルグリーンのＣＤを借りた。

兄ちゃんの話はどれも面白くて、兄ちゃんに教えてもらうアーティスト達は、僕を魅了した。

僕も僕で、兄ちゃんに色んな話をした。学校のことやその日見たテレビのこと、サクラのこと。

長谷川家の家族会議はもう頻繁では無くなっていたけど、兄ちゃんの部屋で話すこの時間が、僕にはとても大切だった。

何より僕が、兄ちゃんたち大人の仲間入りをしたことを、兄ちゃんは自分のことのように喜んでくれた。ゲンカンに対する愛情ははっきりと口に出して言うことが出来なかったけど、兄ちゃんは兄ちゃんで僕が話したがらないことは聞かなかった。

男同士、男の生理について話し込んでいると、決まってやってくるのはミキだった。

ミキはいつも、

「何話してたん？」

と、乱暴にドアを開ける。ミキは退院してからも松葉杖《まつばづえ》なんて使わず、けんけんで移動していた。どん、どん、と太鼓のようなそれが聞こえると、僕らは苦笑いしたものだ。ミキはまったく、つむじ風のような女の子だった。

母さんが世界中の暖かさを持っているとしたら、ミキは世界中の風をその体にはらんでいるような女の子だった。生まれたときから僕らの注目を一身に浴びてきたミキは、部屋に入ってくるだけで、皆の動作をひとときに止めてしまうような独特の力を持っていて、それは年を追う毎に増していった。

たまにサクラを連れてやって来る時があって、そんなとき兄ちゃんの狭い部屋はぎゅうぎゅう詰めになった。サクラは兄ちゃんの部屋に入れてもらえたことで大興奮して、小便を漏らさんばかりだった。でも女の子らしくお尻を振っておしっこを我慢して、その代わり僕らの顔を交互に舐めまくった。

「なあに、なあに？　何話してたんですか？」

サクラの口からは生臭い匂いがして、僕らは
「くさいなぁ！」

なんて文句を言ったけれど、でもその生臭さは海のような匂いで、その匂いを嗅ぐと安心できる類のものだった。

僕らはサクラのその匂いを嗅ぐことで遠い海を思い、それはそれはゆったりとした気分になったし、階下から聞こえる母さんの
「さぁ！　掃除は誰がすんの？」

と言う大きな声に、顔を見合わせて笑った。

薫さん

ミキは脚が治ってから（驚異的なスピードだった）バスケ部に入った。喧嘩をしなくなったミキを見て母さんは喜んだし、何か打ちこむものを探すべきだと思っていた父さんは、ほっと安心

した。ミキはいわゆる早生まれ、小さな頃の一年の差というのは相当なもので、同じクラスの子に比べて随分体が小さかったけど、ミキの背の成長はとどまることを知らず、学年で一番のっぽだった僕のように、朝礼などで一番後ろに並んでいた。

ミキが初めて友達という概念を考えたのも、このバスケ部でだった。ミキはその身長と、初心者とは思えない遠慮の無いプレーで、一年生で初めてレギュラーの座を勝ち取った。他の女の子達からすればミキは羨望《せんぼう》と嫉妬（と恐怖）の対象で、女の子というのは、その裏腹な気持ちを抱えたまま友達になろうとするものだ。でもミキにはそうゆう微妙な女心というものを、全く理解する頭がなかった。つまり、

「長谷川さん、ごはん一緒に食べへん？」

「は？　何で？」

そんな具合だ。本人には、何も悪気がない。純粋に、どうしてあなたとごはんを食べなければいけないの？と思っているだけ、女の子が傷つくことなんて、微塵も考えることが出来なかった。

というわけでミキには、なかなか女友達というものが出来なかった。

ミキはミキで寂しいと感じることもあったには違いないけど、周囲の女の子とのあまりのズレに自分を合わせることが出来ず、戸惑っているようだった。

「長谷川の妹って、変わってるよなぁ。」

僕が「紹介してくれよ。」の次に聞いた台詞だ。

実際ミキは、相当風変わりな女の子だったと思う。自分に攻撃してくる者に対しては、メガトン級の破壊力でもって応戦したものだったけど、ケンカをしなくなってからは、何に対しても、興味が無い風だった。バスケの練習は一生懸命しているようだったけど、他の女の子達みたいに、かっこいい男の子を見て騒いだり、可愛い仕草を研究したり、そうゆう匂い立つ女の子らしさ、甘酸っぱいようなそれが無かった。休み時間は中庭の花壇に座っていつまでもぼうっと空を見ていた。その様子はきっと僕らが鐘のなる公園で見た、あのおじいさんみたいだったにちがいない。

男の子達から

「好きだ。」

に始まる愛の告白をされても、空を見るのと変わらない目でその子を見返すだけだったし、学校の皆は、あまりミキの笑顔を見ることが無かった。

僕と同じ名前の女の子がやってきたのは、入道雲がたくさんの雷をかかえて、我が物顔で空に居座る頃だった。

薫さんは二年生の夏転校してきた。僕よりふたつも年下だけど、僕はどうしても

「薫ちゃん。」

とは呼べなかった。何か薫さんには、随分小さな頃からその場にいる誰よりも年上のような、

そんな貫禄が備わっているような気がした。

ミキに負けず劣らず長身の持ち主で、バスケ部に入った彼女はミキと同じくらい風変わりな女の子だった。いや、女の子という表現は、薫さんにはしっくり来ない。

少し猫背のその姿や短く切った髪、歩く度盛り上がるふくらはぎの筋肉や、きりりと意思の強そうな一重の目が、まったく男の子みたいだ。よく見ると、口の周りにうっすらと髭も生えているようだった。

僕も街で何度かその姿を見かけることがあったけど、公園の植木に座り込んで水を飲むときの表情や、口元に垂れた水を袖口で拭《ぬぐ》う仕草が、とてもかっこいい男の人を見ているような気分になった。

実際薫さんは、周りの男が悔しがるほど女の子にモテた。放課後バスケ部の練習をこっそり見に行っている女の子達がいて、何を見ているのかというと実は薫さんを見ていたし、バレンタインデーにチョコをもらったりしていたようだ。

見た目と違わず性格も男っぽくて、それはもう、そんじょそこらの男の子よりも男らしかった。掃除のときは机をふたつ一緒に運ぶし、女の子が重いものを持っていると、当然のように取り上げて運んであげた。二時間目の授業中に恐ろしいくらい大きな弁当を食べて、お昼には売店で買ったジャンボカツサンドとジャンボやきそばパン、とにかくジャンボと名のつくパンを食べて、それでも足りないようだった。

そんな風だから、薫さんにはなかなか近づく人がいなくて、かといって薫さんも社交的なタイプでは無いので、自然一人でいることが多かった。

つまり薫さんとミキは、とてもよく似ていたのだ。

最初にコンタクトを取ったのは薫さんだった。誰にもおもねることは無いし、かといって誰かを拒絶することなく、ただ茫洋《ぼうよう》としていたミキを薫さんが気に入って、ミキはミキで、初めて自分に屈託なく接してくる同性の存在が新鮮で、それに薫さんのさっぱりした性格を好ましく思い、ふたりはよく一緒にいるようになった。

長身のふたりが一緒に歩いていると、ちょっと迫力がある。それに、一人は誰もが振り向く美人で、もうひとりは男と見まごうような容姿をしている。目立たないはずはなく、ふたりと仲良くなりたがる女の子も少なくなかった。

薫さんが家に遊びに来た日は、矢嶋さんが初めて家に来たときくらい、大騒ぎになった。何せミキの初めての女友達だ。サクラはまたもやひりひりするくらい綺麗な体になったし、テーブルの上にはわざとらしいフルーツの代わりにアネモネやシャクヤクが生けられた。兄ちゃんはいつも着てるアディダスのてろてろのジャージをやめてちゃんとジーンズをはいたし、僕は僕で意味もなく歯磨きを何度もした。

薫さんは、グレーのチャンピオンのパーカーと、細いブラックジーンズでやって来た。すらりと伸びた身長にその格好はしっくりときて、ますますかっこいい男の子みたいだった。

「こんちは。」

薫さんははすっぱにそう言って、何故か大量のタワシをお土産に持ってきた。

「うちの父親が作ってるんです。」

喜んだのはサクラだ。

大好きなタワシをこんなに大量に見るのは初めてで、それを噛むときの歯ざわり、地面へ落としたときの予測のつかない跳ね、足で転がしたときに肉球をくすぐるその固い繊維質の肌触りを思い出して、涎をだらだら流した。サクラは嬉しさで、まさに失神寸前だった。

「名前なんてゆうの？」

薫さんにそう聞かれても、サクラはタワシに夢中で、女の子とは思えない形相でタワシを「あがあが」と口の中にほおばっていた。

「サクラ、ちゃんと挨拶しなさい。」

ミキにお尻を叩かれて初めて我に返り、

「あ、あら。お恥ずかしいところ見せてすみません。長谷川サクラです、うふふ。」

と、尻尾を振って薫さんに愛想を振りまいた。

薫さんはサクラのことを散々力強く撫でて、随分慣れたその仕草に兄ちゃんが
「家で犬飼ってんの？」

と聞くと、

「犬は四匹だけ。」

と答えた。

「あとは猫が十二匹、リスが二匹と文鳥が四羽います。」

薫さんは、かなりワイルドな女の子だった。

薫さんはミキの部屋にこもって、夕飯の時間になっても帰らなかった。心配した母さんがその日四つ目のアップルパイを持って行って、

「家に帰らなくて大丈夫？」

と聞くと、

「大丈夫ですけど、迷惑ですか？」

と逆に聞き返された。焦った母さんが
「迷惑なんかやないけど、ご両親心配せえへん？」

と言うと、

「心配なんてしません。うち、姉妹《きょうだい》多いんで、誰が帰ってて、誰がいないか分ってないんです。」

と、あっけらかんと言った。そして、横であぐらをかいていたミキが補足するように、

「薫さんちのお母さん、目ぇ見えへんねん。」

と言うから、母さんは何も言えなくなってしまった。

ちなみに姉妹の多さは驚くべきで、なんと女だらけの八人姉妹だった。

「あたしは、八人目です。」

薫さんほど、「あたし」という一人称が似合わない女の子は、今まで見たことが無かった。

薫さんは結局、うちのコロッケを四つとごはんとみそ汁を二杯ずつ、アップルパイをもうひとつ平らげて、夜の十時ごろ帰って行った。中学二年生の女の子からすれば、随分遅い時間だ。

「本まにご両親心配せえへんのやろか？」

自分の娘のように心配する母さんに、

「せえへんねん。」

自分の家のことのようにミキがあっさりと言った。

「せやかて、こんな遅い時間に女の子がひとりで……。」

「薫さんは大丈夫や、空手やってるし。」

父さんが母さんを助けるように口を挟んだ。

「空手やってるゆうても、中学生の女の子やったらしれてるやろ、やっぱり……。」

「薫さん黒帯やで。」

「……。」

薫さんは、どこまでも男らしい女の子だった。

世界級

「なんかキツネみたいな子ぉとつきあってるらしいな。」

晩御飯のとき、ミキがそう言って、僕のゲンカンとの性生活は家族に知られることとなった。薫さんも当然のように席についていて（その頃薫さんは、三日にあげず夕飯を食べて行った）、自分でよそった三杯目のごはんをほおばっていた。

「ああ。」

ミキたちにまで広まっているのかと動揺しつつも、男らしく焦りを見せず曖昧な返事をした僕に、母さんの質問攻めが始まった。

「薫！　なんで言うてくれへんのぉ？」

「どんな子ぉ？」

「家に連れてきたらええやないの！」

どの質問にも僕が答えないでいると（というより、母さんの質問攻めは答える隙《すき》を与えない）、代わりにミキと薫さんが淡々と答えた。

「帰国子女やろ？」

「でもなんか、ほんまキツネみたいな顔よなぁ。」

「コン、コン！て鳴きそうやもんな。」

「キツネって、コンなんて鳴かへんらしいで。」

「そうなんや、なんて鳴くん？」

「知らん、きゅーん、とか？」

「悲しい音色やな。」

「……アメリカやっけ？」

「アメリカや。」

「そら進んでるわなぁ、十六で免許取れる国やろ？」

「進んでるわ。」

ミキと薫さんは話すときにお互いの顔を見ないし、愛想笑いもしない。僕ら家族はもうそれに慣れたけど、最初のうちはふたりが喧嘩でもしたのかと心配するような無愛想ぶりだった。知らない人が見たら、このふたりは本当に仲がいいんだろうかと不安になると思う。

次男にまで彼女が出来たことを知って、嬉しそうにふたりの話を聞いていた父さんだけど、ゲンカンの情報が「アメリカ帰りのキツネ顔」ということしか得られなかったことに少しイラ立ってきた。

「どんな性格の子ぉやねん？」

的を射た質問だ。

「あたし、ハーイ！なんつって薫にハイタッチしてるとこ見たで。」

「シット！言うてるとこも見た。」

父さんはミキと薫さんによる、明らかにアメリカ人的な性格の彼女を、少し不安に思ったのか、

「でも、薫は、好きなんやろう？　優しい子ぉなんやろう？」

と聞いた。

僕は正直言って、まだゲンカンのことを好きかどうか分らなかった。

ゲンカンに会うとどうしても下腹部が熱くなるけど、それはゲンカンに対する愛しさというよりは、ただ体があの快感を覚えているにすぎないような気がしていた。僕が湯川さんに抱いていたような、まあるい、ほくほくとした気持ちとは違って、ぎらぎらと嫌らしいそれは、恋という感情からは程遠かった。

僕は父さんの質問に
「優しいよ。」

とだけ答えておいた。

長谷川家で世界級の恋をしている男、兄ちゃんのところには、矢嶋さんからの連絡は途絶えたままだった。僕はあんなに優しかった矢嶋さんの豹変振りに驚いたし、その頃には兄ちゃんはす

でに矢嶋さんのことをあきらめかけていて、

「他に好きな奴でも出来たんちゃうか？」

なんて、吐き捨てるように言ったりした。

それでも兄ちゃんはポストを覗いていたし、ポストから新聞やチラシを持ってきたミキに
「ミキ、それだけか？」

と聞いたりしていた。そんなときミキはちょっと怒ったように
「他に何あんの？」

なんていいながらテーブルに新聞を投げた。兄ちゃんとミキが少し険悪になるのは、まったくこのときだけだった。ミキはいつまでも矢嶋さんを忘れられない兄ちゃんにイラ立っているみたいだったし、兄ちゃんもどんな女の子を連れてきても平気な顔をするようになったミキが、矢嶋さんのことを話すときだけ途端に不機嫌になるのを、苦々しく思っていた。

兄ちゃんのサクラとの長時間の散歩は続いていて、サクラはお尻のあたりがきゅっとしまってきたし、一つしか食べなかった缶詰も、二つぺろりと平らげるようになった。

僕は高校でも部活に入らなかった。体重は落ちたものの、肩幅は残ったこの体型で、休み時間ごとに色んな運動部からのお誘いは絶えなかったけど、僕はただただのんびり、家で音楽を聴いていることを好んだ。体を動かすことは全てゲンカンとのそれに任せて、僕は学校が終わると図書館にこもって本を読んだり、だらだらと時間を過ごした。

そうゆうところは、僕は父さんから受け継いだ。母さんは昔から明朗快活、美しい顔立ちと明るい性格で誰からも好かれ、運動も出来た。外に出て体を動かすのが好きだったし、いまだに休みの日にテニスの壁打ちなんかをしていた。兄ちゃんとサクラの散歩を取り合うことも多かった。

一方父さんはというと、母さんと比べて内にこもるタイプ、哲学者的なハンサムだった。影のあるタイプという奴だ。外に出ることよりも部屋で本を読んでいることが多かったし、飲み歩くよりは映画館でゆっくり映画を観ることを好んだ。

そんなだから、皆が出て行った休みの日に、僕と父さんふたりになることがよくあって、お互い何を話すわけでもないのだけど、部屋に流れるゆったりとした空気が心地よくて、目が合うと笑いあったりした。

母さんと父さんどちら似なのか分りかねるのがミキだった。ミキは小さな頃こそ、それこそ野山を駆け回るタイプの女の子だったけど、今ではそうとも言えなくなって来た。バスケの練習は熱心にやるし、試合でもそれはそれはアグレッシブなプレーを見せたけど、好きでしょうがないという感じではなく、退屈をまぎらわすためにやっているように見えた。

実際ミキは兄ちゃんといるとき以外は、あんまり笑わなかったし、薫さんが来ても、どこに遊びに行くわけでもなく、ただ部屋でぼうっとしているみたいだった。

学校でのミキは相変わらずだったようだ。変わったのは隣にいつも薫さんがいるというだけ、休み時間に中庭でぼんやりしていたり、男の子達のアタックにも、死んだような目で見つめ返すのが当たり前だった。

プリンアラモード

制服が冬服に変わってから三日ほど経った頃、同級生の男から、妙なことを聞いた。

「お前の妹、レズなん？」

そいつは、名前は忘れてしまったけれど僕と同じ中学校の奴で、中学のときは地味で目立たないタイプ、高校デビューを図ろうと髪の毛を何かぎらぎらと光る整髪料で固めていたり、突然アッパーな性格を装ったり、いまいち信用出来ない奴だった。

突然なれなれしく肩を叩かれて驚いたのと、質問の意味がよく分らなかった僕は、ちょっと立ち止まってしまった。立ち止まった所がちょうど喫茶店「より道」の前で、勢いよく開いた自動扉の中から、おばちゃんの
「いらっしゃい！」

という声が聞こえた。

僕はここのプリンアラモードが好きだった。他の店で出てくるプリンアラモードというのは、

どうもフルーツに頼りすぎていて物足りなかったし、そのフルーツも林檎《りんご》やオレンジや苺、プリンとの相性もそんなに良くないところがプリン好きの僕としては残念だったけど、「より道」のプリンアラモードは潔かった。大きなお皿に、僕の拳ほどもあるプリンが乗り、嫌がらせみたいに生クリームで飾り立ててある。フルーツは傷んだバナナと缶詰の桃だけ、なんとも色彩に乏しいアラモードなのだけど、全く歯ごたえの無いそれは僕の理想をぴたりと満たしていて、三日にあげず通っていた。

自動扉が開いて、馬鹿みたいに入り口に突っ立っている僕を見ておばちゃんは、

「よし、またプリンがはける！」

と喜び勇んだけど、中に入ろうとしない僕に飽きた扉が、のろのろと入り口をふさいでしまった。閉まる瞬間に

「長谷川君？」

というおばちゃんの声が聞こえて、ああとうとう名前を覚えられたと思っている頭の片隅で、

「お前の妹、レズなん？」という言葉が意地悪く僕の脳みそをつついた。悪いことに、そこには堂々とごはんを食べて行く薫さんがあぐらをかいていて、僕はたったの一言でそれだけ飛躍してしまった思考に驚いた。

「なんで？」

僕が言えたのはそれだけで、それも独り言のように響いただけだった。

話はこうゆうことだった。

そいつの弟がミキと同じ学年で、他の人の例に漏れず、ミキに夢中だった。実はそいつは小学校から数えて四年間ミキと同じクラスだったのだけど、僕がそいつの兄の名前を覚えていないように、ミキもそいつの名前どころか、顔もはっきりと覚えていなかった。そいつはかなりしつこい男で、ミキに過去三回告白というものをしているのだけど、顔すら覚えていない男に何度告白されても、ミキはぼうっとした顔で、首を振るだけだった。三回も振られてたらいい加減あきらめろよと思うけど、そいつはミキが誰とも付き合わないのをいいことに、馬鹿みたいに四度目の挑戦を試みた。ちょっとストーカーの素質がある奴で、ミキが誰とも付き合わないのは、俺のことを待ってるからだ、という確固たる考えのもと、名前どころか顔さえ覚えられていないのも知らず、

「長谷川、いい加減俺と付き合えよ。」

という、困った告白をしたのだ。

さすがのミキも言葉のニュアンスがおかしいと思った。

「いい加減って、何？」

初めて、そいつの顔をじっと見た。ミキのアーモンド型の目に見つめられて、そいつは舞い上がった。たぶん、

「もう、散々俺の気持ち言ったろ？」

とか
「これだけ好きって言ってるのに。」

だとか何とか言ったんだろう。なるべくロマンチックに。でもミキはそこで初めて、そいつから告白されるのが初めてじゃないことを知った。ミキは、

「あんた、あたしに何回か好きって言ったん？」

か、もしかして尚《なお》悪いことに、

「そもそも、あんた誰？」

なんてことも言ったかもしれない。

そいつは鼠みたいにちっぽけなプライドをずたずたにつぶされた。そして頭が悪いから、キレることでしか自分の感情を処理出来なかった。しかも暴力ではミキに勝てないことを知ってるから、卑劣なことに、ミキがいつも薫さんと一緒にいること、男の子と付き合ったことがないことをネタに、「長谷川美貴はレズ」という噂を、校内中で言いふらした。本当につまらない奴だ！もっとつまらないことを象徴する出来事として、そいつは自分が何度もミキに告白していること、何度もふられていること、そしてあろうことか顔を覚えられていなかったことは言わなかった。

校内の皆は、普段からずうっとふたりでいるミキと薫さんに憧れの目を向けつつ、彼氏を全く作らない様子や友人以上の親密な雰囲気に、少し疑いを持っていた。そこで降って湧《わ》いたレズ疑惑だ。ミキにこっぴどくふられた連中や、入学式二日目でミキに殴られた女の子たちが、ここぞ

とばかりに噂に火をつけた。中には
「子供が出来ひんからええのう！」

などと、下品な言葉でからかう奴も出てきた。

ミキと薫さんは、それでも態度を変えなかった。

噂に何の抵抗も見せず、それどころか、

「だったらどうなん？」

という態度で、これまで以上に一緒にいたし、薫さんはうちに来ることをやめなかった。ふたりのこの態度で、皆の中でますます「長谷川美貴はレズ」という噂が確実なものになった。

僕はレズビアンだとかゲイだとかに偏見はないほうだ。サキコさんは素晴しく素敵な「女の人」だと思ったし、罰ゲームの女の人達と一緒にいるのも、とても楽しかった。

でも自分の妹となると、少し話が違ってくる。世間は僕みたいな考えの人間ばかりじゃない。同性愛者に対する偏見、差別、そんなものがまだまだ根強いし、ミキにはそんな思いをしてほしくなかった。

何よりお葬式で見せたサキコさんの涙、きっとお母さんを亡くしただけで流されたのでは無いそれを思うと、僕の胸は痛んだ。

すぐさまミキは学校で「憧れの女の子」から、一気に心ない噂話の対象になった。廊下でミキに会うと、皆その華々しいオーラに圧倒されて両脇にどいたものだけど、今では目を伏せて道を空けた。ミキの目に見つめられると、女の子でさえそのベネチアングラスのような美しさに見入ったけれど、ミキのことを横目でちらちらとしか見なくなった。

それでもふたりは、態度を変えなかった。

薫さんは毎日のようにうちにやってきては、ふたりで部屋にこもっていた。

「ずうっと部屋にこもって、何やってんねやろ？」

そう言う母さんの言葉をさらさらと受け流していた僕だけど、今ではその言葉に過剰に反応するようになった。お菓子を持って行ったり、本を借りに行ったり、やたらとミキの部屋をノックしては、中の様子を窺った。恋愛は自由だ、ミキが幸せならいいじゃないかという気持ちと、いやミキは同性愛者では無い、そうであってほしいという気持ちがない混ぜになって、僕は胸が苦しかった。

だからドアを叩く瞬間は、いつもこれ以上無いくらいに緊張した。徹底的な瞬間を目撃してしまったらどうしようと思う反面、そうであってくれたらすっきりするのにとも思った。

兄ちゃんには、ましてや父さんと母さんには言えなかった。

たまに母さんが、夕食のときにミキと薫さんに
「あんたら、学校でカッコええ子ぉおらんの？」

と聞いたけど、ふたりとも考える素振りも見せず、声を揃えて
「おらん。」

と言った。母さんはがっかりしていたけど、ミキの今の現状を知っている僕は胸がどきどきした。時々ミキと薫さんのことを盗み見ている僕に、ミキが

「何よ？」

と言うこともあったけど、臆病《おくびょう》な僕は話の本質が言えず、

「いや。」

なんて言って、コロッケやらハンバーグを飲み込んだ。

「より道」には行かなくなった。あれだけ好きだったプリンアラモードは、僕にはもう何の魅力も無かった。「より道」の前であの話を聞いてしまったことで、プリンアラモードとミキの恋が、僕の中で直結してしまったのだ。ミキのことを考えると、どろりと溶けそうな桃や、茶色くなったバナナ、卵の匂いのきついプリンの味が口いっぱいに広がって気持ち悪かったし、どこかでプリンのサンプルを見つけたら、ミキと薫さんの顔が浮かんで、胸が苦しくなった。

手紙

「薫、元気ないね？」

今まで毎日のように会っていたゲンカンだけど、高校に入ってからは忙しくなったのか、週末に二、三時間会うだけになっていた。とはいっても週末にはゲンカンの言う
「パーティー。」
がいつもどこかしらであったから、僕はそれまでの時間つぶしだ。あんなに馬鹿みたいにしていたセックスもめっきり減って、十六歳の男としては不満が無くも無かったけど、ゲンカンにはっきりと
「好きだ。」
と言ったことが無い僕が、それだけを要求するのはあまりにも卑怯《ひきょう》だと思って自粛していた。
ゲンカンは高校に入ってから、ますます大人びた行動を取るようになっていて、それはふらふらと揺れるピアスやつやつやと光った口紅のせいだけではなく、何かゲンカンからにおい立つような大人の女の人のオーラが出ていて、ふと僕を見つめ返す仕草や、聞きなれない日本語を聞いたときの訝しげな表情なんか、見ていてどきっとさせられることがあった。
ゲンカンの言う「パーティー」は、それはそれはエキサイティングで楽しいものらしくて、そこには「画家の卵」や「モデルの卵」、「フォトグラファーの卵」など、とにかく「卵」たちがごろごろと集まって、どの人もゲンカンに言わせれば
「素晴しい才能なのよ！」
つまり、とてもクリエイティブな集まりだというわけだ。僕はそうゆうのが苦手なので、誘わ

れても行かないぞ、と思っていたけど、ゲンカンは僕のことを一度も誘わなかったし、それはそれで寂しい気もした。

ゲンカンの言うクリエイティブな人達がどうゆう人種か、いまいちよく分からないけれど、なんとなくそうゆう人や外国人には同性愛者が多いような気がして（これは全く僕の偏見だけど）、それにゲンカンなら僕よりもっとリベラルな考えを持っているような気がしたから、思い切ってミキのことを相談してみようかと思った。もちろんミキの名前を伏せてだ。

「ねえゲンカン。」

「もう！　タミーって呼んでって言ってるでしょ？」

ゲンカンは環という名前から、タミーと呼ばれているらしい。べったりと目の周りを黒く塗ってるから前よりは大きくなったけれど、ゲンカンの細い目はどう見ても「須々木原環」その人のもので、とてもタミーと呼ぶにはふさわしくなかった。

「……あのさ、」

「なあに？」

「女の子を好きになったことある？」

「はぁ？」

ゲンカン改めタミーは、突然繰り出された僕の素《す》っ頓狂《とんきょう》な質問にふいをつかれた。道を歩いていて突然知らない人に

「おっす！」

だとかなんとか言われたときの顔だった。

「何よ？　突然。」

ゲンカンがこう言うのは、今の状況から考えて相当まっとうだけど、何せ僕は必死なので、そのままごり押しで話を続けた。

「いや、だから。ゲンカン（ここで僕は〝タミー〟に腕をつねられる）が、例えば中学のときとかに女の子、うーん、一個上とか二個上の子ぉを好きになったりしたことある？」

「好きって、ラブのこと？」

「らぶ、うーん。そうやなぁ。」

「友達としてじゃなく？」

「うん。男の子を好きになるみたいに、女の子を好きになるかってこと。」

「ないわ。」

あまりにぴしゃりと放たれたその言葉に僕はがっくりと肩を落とし、少し嫌悪感さえ抱いていそうなゲンカンの表情は、僕の心を暗くした。

「どうして？」

ゲンカンがこう言うのも至極当然で、でも僕はそのときにはすでにミキのことを相談する気も失せていたので、話題を変えようとした。

「いや、ミックジャガーが中学校のときに同性愛を経験したって言っててん。」

「……。」

「いや、別にそれとこれとは関係ないんやけど。」

「……。」

「ごめん。」

ゲンカンは僕の顔をしばらくじっと見つめて、やれやれという風に右手をくるりと宙に浮かせた。その様子はまったくアメリカの女の子みたいで、僕はごく自然にそんな仕草が出来るゲンカンに、少し憧れを抱いた。

そのときはもう冬の気配がしていた。太陽が遠いところで僕らを見下ろしていたし、髪をアップにしているゲンカンが、時折寒そうにその腕を僕にすりつけてきた。

「あたしが思うのは、」

黙りこんでいたゲンカンが突然話し出すから、今度は僕が知らない人に「おっす」を言われた人の顔になった。

「とても辛い恋になるんじゃないかしら。」

ゲンカンの髪は太くて重いから、風にそよいだりしない。でも時々僕たちの側を通る風は思いのほか強くて、ゲンカンの髪のかわりにふわふわと柔らかいスカートや僕のシャツをぱたぱたと持ち上げる。

「まず世間の目があるわね。偏見や差別の無い社会を！なんて言っても、今薫があたしに話すときに少し声を小さくしたみたいに、あちこちで小声で話さなければいけない類の出来事がある。日本に来て思ったの、ああこの人たちは何て目立つことを嫌う人達なんだろうって。少しでも自分達と違う人間がやって来ると、徹底的に排除しようとするのよ。しかも堂々とするんじゃなくて、そう、ひそひそと小さな声で話して、皆で結束して、蓋をしちゃうの。見ないようにするのよ。」

僕は転校してきた当時の、皆に敬遠されていたゲンカンの姿を思い出した。それでも、今のミキよりは随分ましだったような気がした。

ゲンカンはさっき宙をくるりと舞った右腕を、僕の腕にからませてきた。

「愛し合ってるなら、どんなところでもその愛を表現したいでしょう？　今あたしがこうやって薫の手をとるのもそう、ハグしたりキスしたり。日本人は男女でもそうゆうことするの恥ずかしがるでしょ？　ましてや女の子同士それをするのは、随分勇気がいるわよね。それと、セックスの問題ね。あたしは基本的に、プラトニックを信じてないの。恋するってもっと動物的なものでしょ？　オスがメスを欲して、メスがオスを欲する。まずその点からいって同性愛はいびつよね。相手を愛しい、抱きしめたいと思う気持ちは変わらなくても、まっとうなセックスが出来ない。」

ゲンカンは厳しい顔でそう言って僕をどきりとさせたけど、今度はいたずらっ子のように笑って、僕のズボンのあたりを覗き込んだ。

「あたしは薫のそれを愛しく思うし、それを欲しいと思う。相手を喜ばしてあげたいと思うのが素敵なセックスだと思うの。もしあたしが女の子を好きなら、その女の子を喜ばしてあげたいと思うけど、どうしてもそれが出来ない自分にイラ立つと思うわ。逆もそう。女の子があたしをどれだけ喜ばしてくれようとしても、あたしはきっと物足りなさを感じると思う。あたしを喜ばせられるのは、薫が持ってるそれだけだもの。」

ゲンカンは僕の腕に絡めていた腕をほどいた。

「少なくとも、今はね。」

「今は」という言葉を聞いて、僕はどきりとした。そういえば僕は、僕のじゃなくて、誰か他の人のそれがゲンカンを喜ばせることがあるのだということを、考えてもみなかった。ゲンカンはいつも体全てで僕のことを「愛しい。」と言って、ありったけの心を注いでくれた。僕はゲンカンのその愛情に、あぐらをかいていたような気がする。その心が、いつか僕以外の奴に向けられるのだということは、思ってもみなかった。そして、僕の心を苦しくした。それはミキのことを思う身動きのとれない苦しさとは違って、体全体から湧き上がってきて、その鈍い重さにどっぷりと居座られるのが怖くて体を動かさずにいられないような苦しさだった。僕はそのとき、生まれて初めて「嫉妬」という感情を知った。

「ゲンカン。」

思わずそう言った僕を、ゲンカンがじっと見た。

「タミー。」と呼ばなかった僕をゲンカンが怒らなかったのは、僕がゲンカンの唇をふさいでいたからだ。

　僕の両手はじっとりと汗ばんでいたけど、それでもゲンカンの肩に触れずにいられなかった。ゲンカンの唇はその日リップクリームを塗るのをさぼったのか、少しささくれていて、僕はその感触で湯川さんを思い出した。

　僕は本当は、湯川さんに触れたかった。

　風に吹かれて頼りなくその姿を変える柔らかい髪や、トロンボーンを吹いているために固くなった指先に触れたかった。湯川さんのことが、本当に好きだった。何故あのとき、

「湯川さんが好きだ。」

と、言えなかったのだろう。「分らなかった?」と不安げにたずねたあの子に、どうして
「湯川さんは湯川さんだ。」

と言えなかったんだろう。どんな肌をしていても、あの子は僕の好きな湯川さんだった。

　僕はなんて、小さな男なんだろう。

　僕が今くちづけている女の子の、その体さえも知っているのに、僕はゲンカンが今にも消えていきそうで怖かった。ゲンカンが遠くに行ってしまう気がした。どうしても愛することが出来なかったのに、今僕の心は、何よりもこの女の子を求めていた。

　やっと唇を離した僕に、ゲンカンが

「恋してるのね？」

と言った。その言葉で、僕の中にずーっとくすぶり続けていた何かが、パチンと弾けた。

湯川さんへ

元気ですか？

最後に会ってから、もう随分たちますね。

吹奏楽は続けているのですか？　僕の学校の吹奏楽部は、なかなか有名みたいです。府の大会に出たら上位を取るし、テレビにも出たことがあるみたいだ。でも、トロンボーンは男がやっていて、湯川さんは結構体力があったんだなぁと、驚いています。

高校でも、僕は部活に入っていません。中学のときは、面倒臭いから入らなかっただけなんだけど、今は違います。僕は今、肥満なのです。湯川さんと会った後くらいから、体重がどんどん増えて、今では一〇〇キロを超えました。それと、太りだした頃から、ニキビが出来るようになりました。湯川さんと会ったときはおでこの辺りにぽつぽつとしかなかったのだけど、今では顔全体がニキビで、ひとつのニキビが他のニキビとくっついてひどいことになっています。拭いても拭いても汗と油が出るから、治りません。有名な皮膚科に行ったし、顔を何度も洗ったりしましたが、駄目でした。

いい忘れたけど、僕は今、この手紙を病院で書いています。脚を痛めたのです。僕の体重に脚がこらえられなくなったんだろうと、先生は言っていました。紫に腫れあがって、何か得体の知れない動物みたいです。

湯川さんは、彼氏は出来ましたか？　湯川さんはとても美人で頭がいいので、すぐに出来ると思います。とてもモテると思います。僕は、駄目です。彼女が出来たこと無いし、女の子に話してもらえません。

僕は、湯川さんのことが、ずっと好きでした。小学校のときから、湯川さんが授業中にだけ眼鏡をかけていたあの頃から、ずっと、湯川さんのことだけを好きでした。最後に会ったあの日も、湯川さんのことを好きすぎて、緊張して、何も言えませんでした。湯川さんは、とても美人だ。僕なんかには、とてももったいなくて、好きだとは、どうしても言えませんでした。

もう二度と、会うことはありません。僕のこんな姿を、見られたくないのです。湯川さんはきっと、僕のことを見て、幻滅するでしょう。醜いものを見るみたいな目で、僕を見るでしょう。僕は湯川さんのそんな視線に、耐えられる自信がありません。

これからもずっと、湯川さんのことだけを好きです。

どうか、幸せになってください。

さようなら。

ポストに投函した手紙には、宛先を書かなかった。

そっくりさん

兄ちゃんは大学の寮に住むことになった。
兄ちゃんが家を出た日、ミキは部屋から出てこなかった。母さんが
「寮母さんの言うこと聞かなあかんで！」
と、いつもより大きな声を出して兄ちゃんの背中を叩いたけど、その声は急に忙しく吹くようになった春風にかき消された。僕も父さんも、それぞれ
「がんばれ。」
だとか何とか、とにかく曖昧なことを言って、後はしょんぼりしていた。
兄ちゃんは部屋にいるミキに聞こえるようにだろう、いつもより大きな声で
「寮いうたかて近いんやし、すぐ帰ってきます！」
そう言って笑った。ただならぬ様子に落ち着きを無くしていたサクラが、兄ちゃんの足元や僕

らの足元を行ったり来たりしていた。

「なあに？　なあに？　どこ行くんですか？」

兄ちゃんはしゃがんで、サクラの頭を抱きしめた。兄ちゃんに抱きしめられて、サクラは兄ちゃんの心臓の音、それに合わせて尻尾を嬉しそうに振って、それから兄ちゃんの耳や頬を舐めまくった。兄ちゃんはくすぐったそうに笑っていたけど、急に、少し悲しそうな顔になって、

「サクラ、元気でな。」

と言った。


兄ちゃんが家を出て行く前の一週間ほど、僕とミキは夕食後の時間を今まで以上に兄ちゃんの部屋で過ごした。

母さんが入れてくれるココアを持って、誰が言うでもなく兄ちゃんの部屋に集まる。兄ちゃんは僕らが部屋に入ると、

「おう。」

なんて笑って、音楽の音を小さくする。それはアルグリーンの切なくしゃがれた声だったり、スティービーワンダーの朗々と抜けた声だったり、兄ちゃんの部屋で聴くそれらの歌声は、なんとなく僕らを大人の気分にさせてくれた。

「この前、テレビ見とったらな。」

僕らのココアには、すぐに牛乳の膜が出来る。僕はそれが苦手なのでいつも取って捨ててしまうけど、兄ちゃんは、

「ここに栄養詰まっとんねん。」

そう言って飲み干す。その日も、膜を取った僕が兄ちゃんに

「いる？」

と聞いたけど、兄ちゃんは、かまわず話し続けた。

「マイケルジャクソンのそっくりさん出とってん。」

「似とった？」

「いや、似てんのかどうか分からん。整形の顔やろ？」

「歌とかダンスは上手いんやろ？」

「うん、まあそらな。」

「たまにさぁ、そっくりさん言うて、全然似てへん人おるやろ？」

「おる。スティービーのそっくりさんなんか、サングラスかけてたけど、よう見たらインド人やねん。」

「はは、なんでや。」

「そうや、スティービーほんまは目が見えるって知ってるか？」

「嘘。や。」

「噂やで、噂。」

「どんなよ？」

「コンサートのときな、女の子が花持っていくやろ？　一番可愛らしい子からもらうねんて。」

「嘘っぽいわー、それ嘘っぽいわぁ。」

「それとな、日本のホテルに泊まっとったときな、ボーイが荷物運ぶやん、部屋に。」

「うん。」

「あ、それそこ置いといてー、て指さしたらしいで。」

「ははは。」

「あとな、新聞読んどってんて。」

「嘘や、絶対嘘や。」

「はは。」

僕らのこんな他愛の無い話を、ミキは相当つまらなさそうに聞いている。あんまりむすっと不機嫌だから、たまに怒ってるのかなぁと思うときがあるけど、それでも、絶対に部屋を出て行かない。ミキはミキで、兄ちゃんといられるこの時間を、相当大切にしているみたいだった。

「寮ってどんなん？」

ミキは猫舌だから、ココアが熱いうちは飲まない。だからミキのマグカップにはどんどん牛乳の膜が出来ている。僕はさっき兄ちゃんにあげようと思っていたそれを、ティッシュにくるんでゴミ箱に捨ててしまった。

「ん？　うん、一年生のうちはな、ふたり一部屋やねん」

「何畳で？」

「八畳かな？　いやそないない広ないか、六畳？」

「狭！」

「男ふたりでやろ？」

「そうや。」

「むっさいなぁ。」

「なぁ。」

小さな頃、長谷川家から、誰かが出て行く、他の土地で暮らすことになるなんて、考えてもみなかった。僕らはいつでも、何かあれば兄ちゃんの四畳半の部屋にぎゅうぎゅうになって集まるのだろうし、父さんたちのキングサイズのベッドで飛び跳ねたりするのだろうと思っていた。サクラの散歩に行く要員は必ず五人いて、時には散歩の綱を取り合ったりするのだろう、お風呂に次々に入って、最後にはお風呂を洗っている母さんの、高らかな歌声を聞くのだろう。そう思っていた。兄ちゃんが家からいなくなることは、僕らをそわそわと落ち着かなくさせたし、同時に、何か僕らが見えない臍《へそ》の緒でつながっているような、変な安心感もあった。兄ちゃんが笑っている限り、僕らは大丈夫な気がしたし、でも、笑ってる兄ちゃんを間近に見ることが出来なくなることで、僕らの笑いが半減するような気もした。

「ホモとかおんのかな？」

ミキはちっともココアを飲もうとしない。実は嫌いなんじゃないかとさえ思うときがあるけど、完璧に冷たくなったそれを、最後に一気飲みしたりする。

ミキが今学校でなんて呼ばれているか、どうゆう状況になっているかを知らない兄ちゃんは、屈託なく笑った。

「サキコさん、覚えてるか？」

「ああ、うん。」

「あの人、面白かったよなぁ。」

「はは、うん。罰ゲームやろ？」

「ははは、そう！　なんかさぁ、不思議な人やったよな。近くにおったらさ、確実におっさんの雰囲気やんか。ほら、映画館て暗いけど、隣におっさん座ったら、分かるやん。おっさんや、て。それぐらいおっさんの雰囲気ばりばりに出してんのにさ、なんかおかんみたいやねんな。」

「おかん、ああ、そうやなぁ。」

「あの、マリリンモンローの真似、あれ、ひどかったなぁ。」

「ひどかった！」

「俺さあ、実はあの後一回、サキコさんに会うてん。」

「え？　葬式でやろ？」

「あ、ああ。なら二回や。葬式の後に、もう一回。」

「何で？」

「笑うなよ。矢嶋さんのこと、相談しに行ってん。」

兄ちゃんは恥ずかしそうに笑うと、ミキの方を見た。ミキは、ちっとも興味がないくせに、兄ちゃんのサッカー雑誌を、でたらめにペラペラとめくっている。

「サキコさんにな、好きな子から連絡なくなったんや、てな。サキコさん、店始まる前でや、ひどいねん。あの男らしい顔で、ものすごいドレス着てるやろ？　ほんでこっちは学ランやん。恋の相談なんかして、まるっきりコントやで。」

「はは、ほんまやなあ。」

「そんなに好きなんやったら、会いに行きなさい、て。お父さんとお母さんには言うたるから、て。俺ほら、修旅んとき一回逃げたやろ？　そのこと言うてんけど、自分のお金で、自分の脚で会いに行け、て。誰の助けもない、全部自分の力でやって、それで会われへんかったんやったらあきらめなさい、てな。それは神様が決めたことやから、て。」

「会えたん？」

「会われへんよ、俺家出んかったやろ？　準備はしとったんや。切符買うて荷作りして。でもな、行かれへんかった。」

「なんで？」

兄ちゃんは苦笑いして、ミキの脚を指差した。

「ああ、ミキが入院したから？」

「そうや。あんとき家の中大変やったやろ？　ははは、おかんは泣くしおとんは怒るし。そんなバタバタ見てるとな、行く気失せたんや。俺な、必死なって色んなことやってきたやろ。でもな、矢嶋さんのことはなんてゆうかな、怖かってんな。うん。怖かった。やっと勇気出してな、動こう思たときにあの騒動でな、肩の力脱《ぬ》けてん。なんかな、フワー、て。俺の中で、終わった。」

それは僕が湯川さんに手紙を書いた、あの気持ちに似ているのだろうか。ゲンカンに言われた一言で、僕の中の何かが弾けたあの瞬間に。

自分の骨折が原因になったのを知ってか知らずか、ミキはいつのまにか兄ちゃんの雑誌をココアでべたべたにしている。

「ああ、おい！」

と焦る兄ちゃんの声も、綺麗にしかとだ。兄ちゃんと僕はあきらめて、お互い顔を見合わせて笑った。

そのとき、サクラが犬小屋から出て、庭の方へ歩いて行く音が聞こえた。ぺたりぺたりと、肉球が地面を蹴る音が響く。サクラはお行儀がいいので、寝る前に必ず庭におしっこをしに行く。意地悪なミキなんかは、この音を聞くと大急ぎで庭に飛び出して行って、恥ずかしそうにしゃがんでいるサクラを、じいっと見たりする。

こっそりとおしっこをする、でも、それが僕らにばればれなのに気付いていないサクラが可愛くて、僕らはしばらく黙っていた。春の夜空は、時々変な色を見せる。その日の空も、なんだかピンクがかった、モヤモヤとした黒で、次の日はきっと雨になるだろう、僕らが引っ越した日のような、あの優しい雨になるだろうと思った。

「愛のある、嘘をつきなさいね。」

そんな風に言ったサキコさんは、びっくりするくらいお母さんに似ていた。お化粧をしているおかんっぽいサキコさんじゃなくて、髪をぴたりと後ろに撫でつけ、誰よりも広い肩幅を小さく震わせて泣いていた、サキフミさんだ。

父さんは最近、あの店には行っていないようだった。僕らには言わないし、そんな素振りをちっとも見せないけど、兄ちゃんが私立の学校に行くこと、寮とはいえ一人暮らしをすることで、相当無理をしていたに違いない。父さんは残業が多くなったし、母さんも家計簿に向う時間が長くなっていた。それでも長谷川家の食卓には、素晴しく豪勢なごはんがこれでもかというほど並べられたし、庭で撮る記念写真は、相変わらずサクラを除いて皆大笑いの顔だった。サクラを抱いたミキ、その後ろを歩いていた僕。あの日のように、大きくて丸いものは、いまだに僕らを包んでいた。

「マイケル。」

「え？」

「いや、さっきの話。マイケルのそっくりさん。」

「何よ？」

「ああゆうそっくりさんて、どんな気持ちなんやろう？」

うとうとしていた僕は、兄ちゃんの声でまた現実に戻る。

「どんなって？」

「マイケルのそっくりさんなんかさぁ、明らかに整形してるやん。似せるために。」

「うん。」

「どんな気持ちなんやろ？」

「だからどんなって？」

「なんてゆうたらええんやろ？　その人は完璧にマイケルになりたがってんのやろか？　自分がマイケルとして誰かに愛されたり、人生を生きていきたいんやろか？」

兄ちゃんはたまに、ちょっと変わり者の一面を見せる。他の皆は気付きもしないようなことに、驚くほど過剰反応して、しつこいくらいに答えを知りたがる。それは、ミキが母さんにセックスの不思議を聞いた、あの熱心さだ。

僕は、兄ちゃんのこの手の質問に、いつも上手く答えられない。大概、どうなんだろうとかなんとか、曖昧な返事で済ましてしまう。それはいつも、

「どう？　この髪型、似合う？」

なんて聞いてくるゲンカンに怒られていることなんだけど、いくら怒られても、僕には確固たる意見は持てない。だから僕はいつも、兄ちゃんにこの手の質問をされると、ミキに助けを求める。

「ミキ、どう思う？」

さっきからちっとも僕らの話を聞いていないみたいだけど、やっとココアを飲み干して、僕らの方を見た。

「そんなん、皆そうやん。」

「皆って？」

「皆、ありのままの自分なんて、無いんちゃうん？」

「ありのまま？」

ミキは、いつもマグカップの底に溜まったココアを指ですくう。ミキの指についたそれはだらしない茶色をしているけど、ミキがそれを口に運ぶと、見たことも無いくらい美味しい何かに見える。ミキの唇は、つやつやと光って、今にも弾けそうだ。

「マイケルのそっくりさんは、マイケルのそっくりさんてゆう自分、がほんまなんやろうし、マイケルの真似してないときも、ほんまの自分なんやろう？」

ミキの話し方は、僕らが鐘の鳴る公園で見た、あのおじいさんみたいだ。ゆっくりと、独り言のように話す。僕らはあの日のように、ふたり首をかしげて考え込んでしまった。でもミキは、ちっとも笑ったりしない。おかまいなしに、話を続ける、

「なんやろ？　いつも、これが自分の一〇〇や、ありのままや！て思って生きてる人って、おらん気がする。サキコさんも、マイケルジャクソンも。これは自分じゃないとか、こんなはずやないとか、そんな風に思って生きてて、誰かの真似をしたり、化粧して隠したりしてる。」

ゴミ箱から、湯気が出ている。さっき僕が捨てた膜は、ティッシュにくるまれて、その暖かさを失っていなかった。

「でも、それも結局、自分やん。」

「ミキは、難しいこと言うなぁ。」

兄ちゃんは、心底感心したという風に、ミキをじっと見た。長谷川家初の子供は、「自分では無い自分」、「こんなはずではない自分」なんてものがあることを、想像することが出来なかった。兄ちゃんはいつも全力で生きて、自分に嘘をついたことが無かった。悲しいことがあったら体全部を使って悲しむし、嬉しいことがあったら細胞全部で狂喜する。矢嶋さんのことを全力で愛し、躊躇していた自分を恥じた。そしてまた全力で立ち向おうとし、その力が弾けたとき、兄ちゃんの恋は、やっと終わったんじゃないだろうか。

「湯気が。」

「え？」

「湯気が出てる。」

ミキが、ぼうっとゴミ箱を眺めている。

「ああ、ほんまや。」

どんな話をしても、ミキの口から漏らされると、世界にある出来事は、とても瑣末《さまつ》なことなのだと思わされた。ミキの恋も、兄ちゃんの恋も、僕の恋も、ゴミ箱からココアの湯気が出るのと同じように、ただ日常に横たわっている、当たり前のことなのだと思わされた。

ミキは、「後ろめたい自分」を、抱えているのだろうか。こんなに美しい女の子が、人には言えない自分を抱えているのか、しかもそれを、日常に起こる瑣末なことだと、諦めているのだろうか。

ミキの中で今、何か変化が起こっていた。今僕は初めて、ミキから匂い立つ女らしさを感じた。誰かに吐きそうなくらいの恋をしている、女の人の切ない匂いを嗅いだ。一週間後に、初めてわが家からひとりが出て行こうとしていたそのとき、僕は痛烈に時が経ったのを感じた。時は、乱暴だった小さな女の子を、兄ちゃんの後ばかりくっついていた僕を、何か複雑で、手に負えないものに変えて行く。まるくて暖かい何かは、まだ長谷川家を包んでいたけど、それには納まりきれない誰かの悲しみもまた、大きくその姿を現し始めていた。

「でも、それも結局自分か。」

兄ちゃんは次の日、家を出て行った。雨は降らなかった。

第5章

異星人

兄ちゃんが事故にあったのは、その年の夏だ。

兄ちゃんは夏休みで一週間ほど家に帰ってきていた。

その日部屋の時計が四時五十五分を指したまま止まってしまったから、兄ちゃんはコンビニに電池を買いに行った。いつもならサクラを連れて散歩がてら行くのだけど、夜も遅かったし、雨も降っていたから、兄ちゃんは傘を差して自転車で行くことにした。部屋にいたミキが
「時計なんて、別に今日動かさんでもええやん。」

そう言ったけど、兄ちゃんは
「いや、ちょっと気分転換。」

と、出かけてしまった。兄ちゃんはその頃、新しい彼女とうまくいっていなかった。新しい生活を始めた兄ちゃんは、それでも時々過去に足を搦め取られていた。自分の部屋に戻ってきた兄ちゃんはまた矢嶋さんを思い出してしまい、なんてゆうか相当、気分転換を必要としていた。

母さんと父さんはキングサイズのベッドでぐっすり眠っていて、サクラは犬小屋で、幸せな鼾

をかいていた。

随分暑い夜だった。

兄ちゃんの部屋に残された僕とミキはふたりになると何を話すわけでも無く、兄ちゃんのサッカー雑誌をぱらぱらとめくったり、ごろごろと寝そべって時間を過ごした。ミキは何度も大きな欠伸をしたけど、兄ちゃんが戻って来るまでは絶対に寝ないということは分っていた。

コンビニは自転車なら三分ほどのところにあって、なのに兄ちゃんは随分帰ってくるのが遅かった。退屈したミキが
「遅くない？」

と言ったけど、僕は
「立ち読みでもしてんのちゃう？」

と言って、またココアの膜を取った。

「暑いときに、ようそんな熱いのん飲めるなぁ。」

ミキは痩せているけど相当の暑がりで、夏は裸で寝る。さすがに中学に入ってからはその格好で家をうろうろすることは無くなったけど、いつも布の使用量が極端に少ないタンクトップと短パンを着ていた。

「ココアは、熱い方が美味いやん。」

「そう？」

「冷たいのってなんか粉っぽくない？」

「ああ、そうかなぁ。」

外でサクラが犬小屋から出る、ごそごそいう音が聞こえた。それはぴちぴち跳ねる雨の音と混じって、僕らの眠気を誘う。ミキが眠そうな顔で
「サクラおしっこしてる。」

と笑って、そのまま
「しゃー。」

と言った。僕はココアで熱くなった顔を扇風機の前に持って行って、一緒に
「しゃー。」

と言った。僕の声は風の粒にやられて震えているから、どこか知らない星の言葉みたいに響いた。

「しゃ、しゃ、しゃ、しゃ、しゃ。」

「薫さんち。」

ミキが急に薫さんの名前を言葉にするから、僕は誰かに急に名前を呼ばれたときみたいにどきりとした。

薫さんはここ一週間ほど家に来ていなかった。部活を引退して受験勉強をしてるのだろうということだったけど、僕は、薫さんが家に来ない理由がそれだけではないような気がした。

「めちゃめちゃおしっこ臭いねん。」

「ああ、犬とか猫とかいっぱいおんねやろ？」

「うん。誰もしつけせえへんから、そこいら中でおしっこすんねんて。」

「ミキと一緒やん。」

ミキは怒って、僕のココアに唾を入れようとした。僕が慌ててマグカップを取ると、間一髪でそれはぽとりと床に落ちた。ぶくぶくと泡立っているミキの唾液《だえき》は真っ白くて力強いので、兄ちゃんの部屋の床には簡単に染み込まない。ミキは笑いながらタンクトップの裾でそれを拭いた。

こうやって笑いながら、服が汚れるのも気にしないで唾を拭いているミキは、僕の中で小さな頃のミキそのままだった。晴れていても長靴を履いて、時々機関銃のようなお喋りを見せる、乱暴で頑固な女の子だ。

でもこの一年、ミキの中で何か大きな変化が起こっているのは間違いなかった。ミキは小さい頃、まるで笑ってるみたいに大きな声で泣き喚《わめ》くことはあったけど、僕らに隠し事をするようなことも、うつむいて考え事をするようなこともなかった。

上目遣いで人の顔を見るのは昔のままだけど、ミキの目は随分黒目がちになっていて、その真夜中のような黒が、世界中の光を跳ね返そうとしているみたいだった。

雨の音が強くなってきた。

ぴちぴちと無邪気だったそれは少し攻撃的になって、犬小屋の屋根を強くノックするので、気の弱いサクラは何度も天井を見上げた。

今日なら、何だかミキに聞けそうな気がした。サクラはきっと優しいから、帰ってこない兄ちゃんのことや、この強い雨で小さな星が流されやしないかと心配しているだろう。その証拠に、時々サクラの尻尾が不安げにぱたぱたと犬小屋に打ち付けられる音が聞こえた。

「ミキ。」

「な、な、な、な、な、に、に、に、に、に?」

今度はミキが扇風機に顔を近づけて、知らない星の言葉を話し始めた。僕のそれが何かごつごつと岩場の多い灼熱《しゃくねつ》の星の言葉だとしたら、ミキのそれは、透明な水が流れていて、見たことも無いような美しい花や木が生い茂っている、そんな豊かな星の言葉みたいだった。

「薫さんのこと、好きなんか?」

扇風機のぶうん、ぶうん、という音しか聞こえなくなった。この扇風機はその二年後の夏にミキが羽を折ってしまって廃棄処分になったけど、そのときはまだまだ元気に僕らを冷やしてくれていた。

「何で?」

ミキの声は少しも震えていなくて、水や花や木の惑星の言葉は、どこかにいってしまった。そのかわり随分乾いた、喉の奥から搾り出すような声が聞こえた。

「何でなん?」

僕は、兄ちゃんが早く帰ってくればいいのにと思った。言ったきりミキは雑誌をぱらぱらとめくり出したし、僕はミキが興味を失った扇風機の、「強」とか「弱」とか「微」とかの文字を、ぼうっと眺めていた。今のふたりには、こいつの風は、少し強すぎる。ココアはさっき膜をとったのに、また新しいのが出来ていた。

「ここに栄養つまってんねん。」

兄ちゃんの言葉を思い出して、それを飲んでみようかと思った。

あの夜の雨の音と、喉を通る膜の、そのぬるぬるとした感触を、僕は忘れることが出来ない。僕の喉に多大な存在感を残して通っていったそれは、悪いことに奥の方で停滞していた。まるで僕の呼吸を邪魔しようとしてるみたいで、何度も痰《たん》を切るような素振りを見せたけど、どうしても胃の方へ落ちてくれなかった。雨はますます激しく窓を叩いて、雨音を数えるのに飽きたミキが、ごろりと仰向《あおむ》けになった。

電話が鳴った。

ミキと僕が顔を見合わせた。

あの日サクラは、世界中の狼が集まってしまうぐらいの、危険を知らせる大きな大きな遠吠えをした。

警察から電話があったとき、僕は何故か咄嗟に時計を見たけど、ああやっぱりそれは馬鹿みたいに四時五十五分を差していた。その頃兄ちゃんの買ってきた電池は、家から歩いて二、三分のところでぐちゃぐちゃにひしゃげて転がっていたのだ。

雨の日に猛スピードで飛ばしていたタクシーは、兄ちゃんから下半身の筋肉と顔の右半分の表情を奪って行った。

一週間もの間眠り続け、「死んだばあちゃんに会った」り、「大きな河が流れている」のを見た兄ちゃんは、目を覚ました後、

「お、お、俺の脚は？」

と言った。

母さんは目を覚ました兄ちゃんを見て大きな声で泣いたけど、兄ちゃんの名前を呼ぶ以外は、何を言っているのか分らなかった。僕はどうも喉の奥に牛乳の膜がつかえたままのようで、やっぱりちゃんと息をすることが出来なかった。

兄ちゃんの顔の右半分はタールに浸したみたいに黒くて、目の周りなどは昔図鑑で見たブラックホールみたいに神秘的だった。右目はほとんど黒目しか無くなっていて、つやつやと飴玉のように光るそれは、サクラの目に似ていた。鼻はしゃんと伸びていたことを忘れてしまったようにぐったりとひしゃげて、大笑いしたときみたいに唇がめくれあがっていた。

兄ちゃんに初めて鏡を渡したのはミキだ。

「ちょっと、びっくりするで。」

兄ちゃんの右半分は動かないままだけど、兄ちゃんは自分の顔を見て、動くはずの左側の動きも、ぴたりと止めてしまった。

「こ、これ、何や？」

兄ちゃんの声は生まれて初めて話したみたいにおぼつかなくて、窓の外では、もう秋が、すぐそこまで来ていた。

面倒くさがり

兄ちゃんは車椅子に乗るようになってから、随分面倒くさがりになったように見えた。トイレをぎりぎりまで我慢したし、少し遠くにある雑誌は、取るのをあきらめた。サッカーボールを持ったままぼうっとしていることが多くなったし、何より兄ちゃんのお得意だった、面白いことを言って僕らを笑わせることを、一切さぼるようになった。

僕らの家は坂の途中にあったので、それが兄ちゃんにはうまくいかなかった。脚はいつも一等賞を取るサラブレッドみたいだったけど、小学校のときに腕を折って以来、兄ちゃんは腕の筋肉を鍛えるのを怠っていた。平らなところを動かすことは出来たけれど、坂を滑り落ちないように車輪を止めることなんかは出来なかった。兄ちゃんは今までに無いくらいずうっと部屋にいるようになったし、いつでもそこいら中の物を手に取るから埃が溜まらなかった部屋も、兄ちゃんが何もしないからどんどん汚れて行った。

兄ちゃんの顔を見て、誰もが昔の面影を忘れてしまいそうになったけど、サクラだけは唯一、何にも変わらなかった。数ヵ月ぶりに車椅子で帰ってきた兄ちゃんを見て、少し不思議そうな顔をすることはあったけど、またすぐにいつものサクラを取り戻した。

「一くん、お帰りなさい！　随分お久しぶり、この銀色に光る椅子はなあに？　かっこいい！」

サクラはあんまり興奮して、お行儀悪くも兄ちゃんの膝の上に乗ったりしたけど、兄ちゃんが

「おお、重さが、分から、へん。」

そう言って泣き出したから、慌てて兄ちゃんの顔を舐めた。それでも兄ちゃんが泣きやまないので、自分の宝物の緑色のタワシ（他のタワシより繊維質が固くて、よく跳ねる）を持ってきたりした。

兄ちゃんが僕らの前でこんなに泣くのは初めてだった。

兄ちゃんが事故に遭ってから退院するまでの数ヵ月を、僕はあまり覚えていない。あんなに記憶力のいいミキでさえ、おぼろげだと言った。

人間は、起きている間に自分が見た記憶を、夜寝ている間に整理するらしい。これは記憶すべき映像、これは削除していい映像、そんな風に。その証拠が「夢」であって、極端に睡眠不足の人が幻覚を見たりするのは、記憶の整理をつけないままに起きてしまうからだという。僕とミキの頭に兄ちゃんが入院していた頃の記憶が乏しいのは、僕らの脳みそが自然にその頃の記憶を消そうとしていたからだ。僕らは毎晩、夢も見ないくらいどろりと眠ったけど、その間に僕らの脳みそは、ベッドで泣く兄ちゃんや、僕らに投げつけられる花瓶や、シーツにシミになっている兄ちゃんの小便なんかを消し去ろうとしていた。それはもう熱心に。その代わり僕は、兄ちゃんの病室に飾られている花、それは母さんが飾っていたものだけど、その黄色だったりピンクだったりする鮮やかな色や、お見舞いから帰ってきた僕らの方へ、ちぎれそうなくらい尻尾を振って走ってくるサクラ、そして僕らの頭をからかっているみたいに撫でる、どこかからやってきた風の吹く様なんかを、はっきりと思い出すことが出来た。

でも不思議なことに、その記憶には音が無かった。その頃のことを思い出そうとすると、水の中に潜ったときみたいに、耳にすっぽりと蓋をかぶせられたみたいになる。そのかわり昔の八ミリ映像みたいに、カラカラとフィルムが回るみたいな、空虚な音がするのだ。そして思い出すことを諦めると、突然現実の音が大音量で迫ってくる。車が走っている音や母さんが誰かと電話している声、サクラが植木鉢をひっくり返してしまった音が、耳が破れそうなくらい大きな音で聞こえる。僕はこの不思議な現象のせいで、何度も立ち止まらされた。体育の時間の女子の掛け声、授業中の先生の声、同級生の笑い声、そんなものが、僕を怯《おび》えさせるのだ。

兄ちゃんは車椅子に乗る練習をしていて、ふざけて膝の上に乗るミキを突き飛ばしたりしていた。ミキは車椅子から転げ落ちて、そのまま大の字になったままでいたし、助けようとしてくれた看護婦さんに舌を出したりした。ミキはどんどん子供に戻って行くみたいだった。ミキに僕を恐れさせる大音量のこと、病室の花のことなんかを話すと、ミキはそんなこと全く聞いていなかった。それで、何か思い出したみたいに、恐ろしいくらいのお喋りをした。

「昨日夢見てん。すごい大きなダンスホールで踊ってて、まわりは全部鏡やねん。違う。ガラスやねん、ガラス。割れたりするやつ、大きいねん。ステンドグラスみたいやねん、違う。ただ光を跳ね返してるだけ、夢って色つかへんってほんま？　モノクロなん？　それやったらステンドグラスはやっぱり嘘や。変なドレス着とってな、ほらあのオカマの人が着てたみたいなやつ、踊りもな、くるくる回るだけ、なんかの話の虎みたいにバターになって溶けるだけ、嘘。はは、さっきの話はほんまやで。でもバターは嘘。うちはくるくる回ってるだけ。めっちゃ広いホールやのに、同じとこでぐるぐる回ってるだけ。ぐるぐるぐるぐる。」

ミキはそのままぐるぐる回って、ばたりと倒れこんだりする。そしていつまでも、けらけらと笑うのだ。

「お兄ちゃんの顔、お化けみたい。なあ？」

僕はゲンカンと別れた。なんてことは無い、ゲンカンに好きな人が出来たのだ。

「フォトグラファーの卵なの。」

僕はその頃には、ゲンカンの「卵」話に相当飽き飽きしていた。ゲンカンの言う「才能ある」卵達は、全くその才能を開花させていなかったし、あまりにも大きめに塗られた口紅や目の周りの粉っぽさは、前みたいに僕を刺激しなかった。大好きだったゲンカンの体さえ、その頃の僕には遠いところで動くお人形みたいに、全く手応えが無かった。

何より僕の体が、ゲンカンの何にも反応しなくなった。

「どうしたの？」

ゲンカンは僕を奮い立たせようとあらゆる知識を総動員したけど、思えばそれは新しく出来た「好きな奴」に教わったことだった。それを知っていたわけじゃないけど、僕のゲンカンへの恋心は砂粒みたいにどこかに飛んでいってしまって、後には何の役にも立たない体だけが残った。ゲンカンが何をしても僕のそれはぴくりとも動かなくて、僕は何故か犬小屋でフテネしているときのサクラを思い浮かべたりもした。

その日は、兄ちゃんの下半身がこれから全く使い物にならないと聞いた夜だった。ミキは入院中いつだって兄ちゃんの側にいて、ベッドに寝そべって、兄ちゃんの体の左側をくすぐったりしていた。男同士の話をするとき兄ちゃんはいつだって僕とふたりきりで話したのに、その日はミキがいるのも気にせず、

「お、俺のん、も、もう、役にた、立たん、ねん。」

と言って、泣いた。思えばあの事故は、兄ちゃんの下半身の感覚や顔の表情を奪っていっただけじゃなく、涙腺《るいせん》の筋肉までも奪ってしまったみたいだった。

ミキは兄ちゃんの隣に寝そべってずっとウォークマンを聞いていたけど、もうそこからはしゃかしゃかという音洩《おとも》れが聞こえなかったから、きっと兄ちゃんの言ったことをきちんと理解出来ているのだろうと思った。

母さんが部屋に入ってきて、

「さあー！　体拭いたろ！」

と言った。兄ちゃんが泣きながら
「な、何のためにや？」

と言ったけど、母さんは兄ちゃんの涙なんか気付いてないみたいに、黙々とお湯にタオルを浸したり絞ったりしていた。

僕は兄ちゃんのことを、ゲンカンに言わなかった。

「最近の薫冷たい。」

なんてゲンカンが甘えてくることがあったけど、もう僕にはゲンカンのそんな女の子らしささえ煩《わずら》わしいものになっていた。週末毎にパーティーに出かけて、健康的なその空気を思い切り吸い込んだゲンカンの体ははちきれそうなくらい幸せに輝いていて、そのときの僕には直視できな

かった。ゲンカンは僕に、

「辛いことがあったら、何でもあたしに言ってね。」

そう優しく言ってくれたけど、僕は兄ちゃんのことが辛いことなのかどうか、よく分からなかった。

辛いことというのは、もっとこう、劇的にやってくるものだ。雷に打たれたみたいなショックが体を襲って、滝のように涙を流して、空を見上げるのさえ出来ない。そうゆうものだ。

僕の場合は、なんてゆうかそうゆう「痛さ」というより「だるさ」、なかなか起きられない月曜日の朝みたいに体が重くて、歯を何日も磨いていないように気持ち悪い、そして何か忘れているみたいに居心地が悪かった。それだけだった。それは喉の奥に張り付いた牛乳の膜みたいに、僕の表情を少し曇らせるのだった。そうだ僕も、随分面倒臭がりになった。

実際家族の誰も、兄ちゃんのことで深刻に話したり泣いたりしなかった。母さんなんかはいつもと変わらずトーストを馬鹿みたいに焼いたし、兄ちゃんが「いらない」という風に皿を床に投げてもびっくりしなかった。

「もったいないやないの、お母さん食べよっと！」

兄ちゃんが食べ残したごはんを食べるようになって、母さんは少しずつ太りだした。

反対に父さんは前よりも仕事に精を出して、少し痩せた。兄ちゃんの車椅子を見て
「これは中古やないねんぞ、新品やぞ！」

という、あんまり意味のない励ましをしていたけど、それも兄ちゃんの耳には届いていなかった。兄ちゃんは
「それが、ど、どないしたんや。」
と言って、また皿を落としたりした。それは小さな頃、正確なコントロールで物を投げつけてきたミキみたいだったから、僕らはそれをよけたり片付けたりすることに慣れていたけど、それでも兄ちゃんの遅い反抗期は、僕らを疲れさせた。

卒業式

ある日薫さんが、また大量のタワシを持ってやって来た。兄ちゃんが事故に遭ってから、長谷川家以外の人が来るのは初めて、つまり兄ちゃんの姿を見る、初めての他人が薫さんだった。

「うちの父親が作ってるんです。」

薫さんは、初めて家に来たときとまったく同じことを言った。サクラは随分前に薫さんにもらった大量のタワシを、そろそろ全滅させている時期だった。サクラはとてもお利口な女の子だけど、ことタワシのことになると、我を忘れてしまうところがあるのだ。

前足で転がしてみたり、軽くふんずけてみたり、気付かないふりをして側を歩いてみたり、色んな遊び方をした後は、健康的な歯でがじがじと噛む。歯茎からダラダラと血が出ているのに、すごい形相で必死に噛んでいるし、ミキがいたずらに取り上げたりすると、思わず「うう」なんて唸ったりする。それはもう、完膚無きまでに叩きのめすのがサクラのやり方で、僕の家に来ると、庭のあちこちでバラバラに分解されたタワシの破片を見ることが出来る。

「ああ、タワシがこんなにいっぱい！」

サクラは嬉しさにまた目をまわして、涎をだらだらと流した。サクラの中で薫さんは、「タワシの女の人」、家にやってくると薫さんのまわりをぐるぐるとまわって、落ち着かない。

「サクラちゃん、久しぶりやなぁ。」

薫さんはぐちゃぐちゃとサクラの頭を撫でた。

薫さんの投げた大量のタワシを、サクラがチーターみたいに追いかけているとき、兄ちゃんが庭に出てきた。

その頃の兄ちゃんは、随分落ち着いていた。一ヵ月ほど皿やグラスみたいに派手に割れる類のものを投げて、あとの一ヵ月はスリッパや雑誌、当たっても別段怪我をしないものを投げて、それから何も投げなくなった。兄ちゃんの反抗期は、大体二ヵ月で終わった。

母さんの体重は八キロほど増えて、逆に父さんの体重は五キロほど減ったけど、それ以外に僕らの間で変わったことは無かった。

兄ちゃんは僕がゲンカンにふられたことを話すと
「つ、辛かった、やろう。」

といたわってくれるようになったし、一度大きく振りかぶって投げたグラスが当たって脚に怪我をしたミキを、

「ごご、ごめんな、大、だい、丈夫か？」

と、気遣うようにさえなった。面倒くさがりは相変わらずだったけど、部屋でそのまま小便をすることは無くなったし、話しかけても僕達がまるでそこにいないみたいにどこか違うところを向いていることも無くなった。

「こんにちは。」

薫さんは、兄ちゃんを見てそう言うと、またサクラと遊びだした。

「こ、こんにちは。」

兄ちゃんは、少し緊張しているみたいだった。ミキ以外の若い女の子と会うのは、相当久しぶりだったのだ。当時兄ちゃんとつきあっていた彼女は、兄ちゃんがまだ反抗期の時期に電話で
「会いたくない。」

と言うと、そのたった一言で、まったく兄ちゃんに会おうとしなかった。形式上は兄ちゃんがふったことになるのだろうけど、僕らはどうしてもそう思えなかった。

緊張している兄ちゃんと裏腹に、薫さんはそれはそれはゆったりとサクラを撫でていて、ミキ

もそんな様子をぼんやりと眺めていた。そろそろ太陽がまた暖かさを取り戻している時期で、薫さんは春になったらバスケの推薦で私立の学校に入ることになっていた。

「うちの母親、目が見えないんです。」

薫さんは、サクラに言うみたいにそう言った。

「だから家に誰がいて、誰がおらんのか分からへん。」

兄ちゃんは腕をだらりと膝の上に投げ出していた。車椅子を動かすことで、それは随分逞しくなって、力を抜いていても、筋肉の筋が入っていた。

「でも、いつも安心してて、それって、匂いやったり空気やったり、何か変われへんもんがあるからやって。ちっちゃい頃、うちが怪我して帰ってきても、大怪我か擦り傷かがすぐ分かる。泣き声の大きさとかそんなんやなしに、分かるんやって。」

ミキはまた意地悪心を出して、サクラのタワシを取り上げてしまった。サクラは「ああ！」という顔をして、慌ててミキの後を追いかけた。

「お、おれ。」

ミキはうつ伏せになって、自分のお腹の下にタワシを隠した。涎でべたべたのそれを、お構いなしに自分のお腹にくっつけて、けらけら笑っている。サクラは、もう必死だ。大好きなミキだけど、それ以上に大好きなタワシを取り返そうと、歯をむきだしにして地面を蹴っている。撫でていたサクラがいなくなって、薫さんは手持ち無沙汰《ぶさた》になった。

「変われへんもんが、きっとあるんです。」

兄ちゃんは、それから何も言わなかった。

ある日兄ちゃんが
「もう少し暖かくなったら、サクラと散歩に行く。」

と言った。

それは僕らが（正月用じゃない）餃子を包んでいたときだ。

父さんはチェスの本を熱心に読んでいたけど、連日続く激務で疲れて眠ってしまっていて、母さんは初夏にまた美しい家族写真を撮れるように、庭で何かの種を土に植えていた。

ミキはミキで梅干を種ごと餃子の皮に包むのに必死で、あんまり聞いていないみたいだった。

だから兄ちゃんがそう言ったのを聞いたのは、きっと僕だけだと思って、

「おう。」

なんて言ったけど、何だかニンニクの匂いにやられて涙が出てきた。ミキが黙ってティッシュを僕に渡したけど、泣いていると思われるのが嫌で、涙を流すままにしていた。

「ニンニクすごない？」

そう涙声で言った僕をミキが見て、

「薫の鼻水のがすごい。」

と言った。

サクラは随分喜んで、眩しそうに空を見上げた。

「ああ、早く春が来ればいいなぁ！」

卒業式の日、薫さんがちょっと、驚くことをした。

全校生徒の前で壇上に上がった薫さんは、受け取った卒業証書を脇に挟んで校長先生からマイクを取り上げた。

校長は頭がツルツルに禿《は》げ上がっていて、なのに眉毛は目より太かったし手の甲などはおはぎを乗せてるみたいに毛むくじゃら、誰かが
「あいつ、狸《たぬき》が化け損なっとんねん。」

と言ってから、「化け忘れ」と言われていた。「化け忘れ」は驚いて、慌ててマイクを取りかえそうとしたけど、圧倒的に身長の高い薫さんにすっこんでろという具合に腹を押され、それこそ狸がごろんと転がるみたいに倒れた。

皆「化け忘れ」のあまりの化け忘れたる様子に笑ったけど、薫さんが
「あたしは、」

と話し始めたので、黙り込んだ。

薫さんは大きく息を吸い込んで、こう続けた。

「長谷川美貴が好きです。」

誰かがゴールを決めたときのサッカー会場みたいに、皆がどよめいた。中には「ひゅーっ。」と口笛を鳴らす奴もいて、皆が脚で床をどんどんと叩く音は、「市民の森」をサクラと散歩していた僕の耳にも届いた。

ミキは、そのとき薫さんが言ったことをその驚くべき記憶力で、一言一句正確に僕らに教えてくれた。僕と兄ちゃんはミキの長い台詞を聞いて、あの無口な薫さんがそんなにたくさん話したことが信じられなかった。

「あたしは、自分が女や思われへん。あたしが長谷川のことを好きなんはとても自然な感情や思てたし、長谷川とあたしが同じ制服、ああ、スカートやで。それを着てるのがおかしい思た。でも、長谷川とあたしが噂になってから、皆の長谷川を見る目が変わったり、レズやて騒がれるのを聞いて、これはおかしいことなんや思た。あたしにとってはごく自然な感情でも、皆はそう思てくれへん。えっと、あたしは、おかしいかもしれん、うん。でもそれって、うちの家が動物だらけなこととか、女ばっかりの家やゆうのと同じ種類の、ちょっとおかしいことなんや思てた。でも、皆の反応見とったら、あたしという存在がありえへんみたいな、そんな風に見とる。あたしはそれは間違ってる思う。あたしは長谷川が好きや、あたしも女やからそれはおかしいかもしれんけど、それはうちんちの猫が同じ母猫から生まれて来てて、そう、全部サバトラやのに一匹だけえらい白い子ぉがおって、それと一緒のことなんや。あたしのお母さんが目ぇ見えへんのは、うちの犬が一匹だけ耳垂れてんのと同じやし、卵生まへん雌鳥《めんどり》が、元気に走っとるのと同じや。

あたしは長谷川に好きや言うたんや。あんたのことが誰より好きやって。長谷川はあたしに、決して女の子を好きになられへんとは言わんかった。薫さんのことは、好きになれないって言うた。あの子は、あたしの言うてること、一度もおかしい言わんかったし、皆みたいに気持ち悪がったりせえへんかった。あー、めっちゃ魅力的な女の子や。あたしは長谷川のこと好きやし、いつか。(ここでミキは、思い出せないみたいに少しゆっくり話した)いつか、周りからおかしい言われへんようになってから、それからもう一回長谷川に好きや言う。もう、誰にもおかしい言わせへんようになって、好きや言う。えっと、そう、世の中にはきっとあたしみたいのが何人かおる思う。あたしと違う理由で、変わってる人もおる思う。でもあたしはその人らのことを絶対笑わんし、もしその人らがいじけとったら、堂々と出来るように努力しようって言う。あたしは今のままやったら、長谷川のこと好きなんおかしいかもしらんけど、いつかきっとそれがおかしくないときが来る。そのときのために努力する。」

その日、誰も薫さんのことを笑わなかったし、変にドラマくさい拍手なんかも無かった。ただ皆黙って、薫さんが壇上から降りるのを見て、ああ確かにあの逞しくて長い脚や、誰かを守るためにいつも光らせてる精悍《せいかん》な目は、女ではなく男の人のそれだと思ったのだった。

キャリアファッション

兄ちゃんは最初こそ散歩に行くとき、僕や父さんの助けを必要としたけれど、段々細くなっていく脚の代わりに力強くなった腕で、ひとりで坂を下れるようになった。

何よりサクラはとても賢い女の子だったので、兄ちゃんの車椅子に合わせて歩調を緩めたり速めたり、まるで兄ちゃんの奥さんみたいに、とても優秀なパートナーになった。

「一君、段差がありますよ、ひきかえしましょう。」

それはもう、介助犬や盲導犬なんて目じゃない！

半年ほどすると、兄ちゃんは市民の森までひとりで行くようになった。兄ちゃんが散歩に行く準備をしているのを見るのが、僕は好きだった。玄関までずるずると這って行くのは、ちょっとぱっとしない感じだったけど、車椅子に両手の力だけで乗る様子や、車椅子を玄関でUターンさせるところ（ちょっとウィリーさせたりする）、サクラを呼んで鎖をつける一連の動作は、何か大きなロボットのコックピットに乗り込むときみたいだったし、兄ちゃんが動き出すまでじっと座っているサクラは、世界で一番賢い警察犬みたいだった。ただひとつ残念だったのは、兄ちゃんはひとりで散歩に行くようになってから、僕やミキを散歩に同行させなくなったことだ。兄ちゃんが散歩の準備をしているのを見て、僕やミキが靴を履こうとすると、

「ひ、ひとりで。」

そんな風に曖昧に手を振って、出て行ってしまう。僕らは兄ちゃんをひとりにするのが心配なのじゃなくて、ただ兄ちゃんと一緒にいたいだけなんだけど、それでも兄ちゃんはひとりで行くと言い張る。僕らは小さな頃に戻ったみたいに、また随分兄ちゃん子になった。兄ちゃんの行くとこ行くとこ付いて行ってたあの頃みたいに、兄ちゃんがいなくなると、そわそわと落ち着きが無かった。兄ちゃんが散歩に行っている一時間ほどの間、僕とミキは家の中をうろうろしたり、見たくも無いテレビをつけたり消したりした。

そんな僕らを見て、母さんも落ち着きを無くしていた。ちらちらと時計を見て、

「今何時ぃ？」

なんて大きな声で言ったり、全然知らないくせに流行の歌を歌ったり。そう、母さんは誰より口を動かすことで、自分の気持ちを落ち着けようとしているみたいだった。大きな声で歌ったり笑ったりする時以外は、その時間を食べることに費やすことが多くなった。

随分ふっくらしたなぁと思っていたけど、ある日母さんが押入れに掃除機をしまっているのを見た僕は、その尻の大きさに驚いてしまった。母さんのお尻は、サキコさんみたいな大きな手の人だと、片手で全て持ててしまうくらい、とても小さかったけれど、その時見た母さんのお尻は、

どこかの国のおばけ果物みたいに大きかった。小花模様のワンピースは大きな花柄になって、いつしか着なくなったし、ベルトなんてしめなくても、ズボンが落ちるはずなかった。

僕にとって十九度目の八月がやってきて、それで、兄ちゃんは二十歳になった。

僕らは兄ちゃんの誕生日を、盛大に祝うことにした。いつも人気者の兄ちゃんだったから、八月三日はいつも家にいなかった。矢嶋さんと過ごしていたり、友達と過ごしたり新しい彼女と一緒にいたり、とにかくどこかしらに出かけていて、日付が変わるまで帰って来なかった。

去年も病院にいて、死んだばあちゃんに会ったり花瓶を投げたりするのに忙しかったから、その日は兄ちゃんの誕生日を家族でゆっくり祝う、初めての機会だった。

ちょっと味覚がおかしくなった母さんは馬鹿みたいに甘いケーキを焼いて、父さんも珍しく仕事を早めに切り上げて帰って来る予定だった。僕は夏休みだったしすることも無かったので、ミキと一緒に兄ちゃんの誕生日のプレゼントを買いに行くことにした。

木の周りなんて回らなくても、バターになってしまいそうな暑い日で、デパートに入った途端そのあまりの涼しさに、僕とミキは弾かれたようにくしゃみをした。びちゃびちゃにかいていた汗が一瞬で乾いて、その日僕らは当然のように風邪を引いてしまった。

「プレゼントかぁ。」

「何する?」

僕は毎年、兄ちゃんにはＣＤをあげていた。でも兄ちゃんがひとしきり聴いた後は、結局僕がそれを借りてそのままになってしまうので、大概自分が聴きたいやつを選んでいた。ミキはいつもＷＷＦのポスター（白いゴリラがアップで写っている）だとか豚毛の歯ブラシ、国旗柄の消しゴムセットなど、どこで買ってくるのか分らない、そしてもらってもあんまり嬉しくないものをよく兄ちゃんにプレゼントしていた。自分で包んでいるのだろうけど、ホッチキスで一〇〇本くらいばちばち止めているそれを開けるのは一苦労で、兄ちゃんはよく指に針を刺して痛がっていた。

お互いプレゼントで兄ちゃんを心から喜ばしたことが無いという負い目があり（ミキは兄ちゃんがあまり喜ばないのをいつもがっかりしていた）、今年こそは兄ちゃんが嬉しくて飛び上がってしまうような（そのときの兄ちゃんでは無理だけど）、そんなプレゼントをあげようと張り切っていた。

「プレゼントかぁ。」

「何する？」

その日僕らは、それればかり言ってフロアをうろうろしていた。ふわふわのバスローブ、大きなマグカップ、つやつや光るサッカーボール。どれも僕らにはぴんと来なくて、そうこうしているうち、商品をおかまいなしにべたべたと触るミキを店員がやんわり注意したり、あまりにうろうろしている僕らを万引き防止係がマークしだしたので、とうとうミキがだだをこねて、エスカレーター横のベンチに座り込んでしまった。

ミキが座り込んでしまうと、ちょっとタチが悪い。中学校の中庭に座り込んで、そのまま五、六時間目をやり過ごしたこともあるし、プールの授業の後、疲れて飛び込み台に座り込んで、夜になってしまったこともある。ミキは時間の感覚がちょっとおかしかった。大嫌いな人とは、一秒だって一緒にいられないのに、こうやって座り込んでいると、二、三時間なんてあっという間に経ってしまうみたいだ。

「プレゼントかぁ。」

「何する?」

その日通算十四回目くらいのそれを言って、僕らはそのまま黙り込んだ。

「あれ、この階とちゃうわ。」

「ええ?　だってさっき三階て書いてたで。」

母さんぐらいの年のおばさんと、その娘だろう、二十代半ばの女の人がエスカレーター横に貼られているフロア案内図を見ている。

「東館やわ。」

「ここは?」

「南館。」

「どうやって行くの?」

「連絡通路が二階にあるねんて。」

「ここ何階？」

「ええっと、三階。」

「いやぁ、また降りなあかんわ。」

ふたりは腕を組んで、反対側の下りエスカレーターまで急ぐ。僕らの前を通るとき、娘さんが僕の方をちらりと見てすぐ目を逸らし、そしてミキを見てはっとした顔をした。この、「僕を見てしかと、ミキ（か兄ちゃん）を見てハッとする」人の顔、というのは小さな頃から見慣れている。その人はおばさんに
「綺麗な子。」

と耳打ちして、ちらちらとミキを見ながらエスカレーターを下って行った。

「いやぁ、ほんまやねぇ。」

僕がミキを見ると、ミキはつまらなさそうに何かを舐めていた。飴か何かを持っていたのかと思って僕が手を差し出すと、ミキは不思議そうな顔をした。

「ちょうだいや。」

「は？」

「飴なめてんのちゃうん？」

ミキがベーっと舌を出すと、それは銀色のボタンだった。ミキの目線の先を辿《たど》ると、ジーンズのボタンが取れて、ぶどう色のパンツが覗いている。

「ボタン取れたん？」

「うん。」

「ふうん。」

さっきの人達がどこに行きたがっていたのか知りたくて、僕も立ち上がって案内図を見に行った。東館の三階には、「キャリアファッション」と書いてあった。

「キャリアファッション。」

「え？」

「さっきの人ら、キャリアファッションコーナーに行きたがっとった。」

「さっきの人らって？」

「ほら、さっきの親子。」

「親子って？」

「ミキ、パンツ見えてんで。」

「ん？」

「パンツ。」

「うん。」

ミキはごろりと横になった。あいかわらず、ぶどう色のパンツを覗かせたままだ。僕は僕で、キャリアファッションてどんなだろう、そんな風に考えて、諦めてミキの隣に座った。何人もの人が、僕らの前を行ったり来たりしていた。ものすごいくせ毛の、音楽家みたいな男の人、死んだ総理大臣みたいな眼鏡をかけた、古臭い感じの女の人、頭にぐるぐる包帯を巻いた男の子と、その子の手を引っ張るお尻の大きなお母さん。本当に色んな人が通ったけど、僕らの兄ちゃんみたいな人はいなかった。

僕を素通りして、兄ちゃんで止まる視線に、僕は前よりもでくわすようになっていた。

それはミキや、昔の兄ちゃんを見て、その眩しさにハッとする視線では無くて、なんてゆうか、ギクリとしている目だ。「しまった」という感じの目。初めてその目に遭ったのは、僕とミキと兄ちゃんで、市民の森へ散歩に行ったときだ。

まだ肌寒かったその日、僕らの影は西日を浴びてぺたりと地面に張り付いていて、のっぽの僕とすらりとしたミキ、そしてその横をちびのサクラと王様みたいに座ったままの兄ちゃんが歩いていた。初めてこの街にやって来たときには、こんな静かな影が出来るなんて思いもしなかった。僕らの影はいつでも兄ちゃんが一番のっぽだったし、飛び跳ねたり転がったりするのも兄ちゃんだった。小さなミキがその真似をして必死に飛び上がったり、僕の背中に飛び乗ったりして、サクラが尻尾をぶんぶん回しながら、僕らの周りをぐるぐる回っていた。僕らの影はそれはそれは賑やかで、太陽でさえ僕らを地面に映すのに苦労していたくらいだ。

夕方だったので公園は散歩犬のピーク。顔が真ん中に集まった犬や、お腹が地面ぎりぎりまで垂れ下がっている犬、ちゃんと前が見えていないんじゃないかというくらい毛むくじゃらの犬、たくさんの犬にすれ違った。中には腰を振りながらサクラの方に必死で近づいてくる輩《やから》もいて、サクラは恥ずかしそうに、僕らの方を振り返った。

「いやーね！　下品！」

どんな犬を連れている人でも、必ず僕らを見た。こんなみすぼらしい雑種の散歩に、女王様の取り巻きみたいにぞろぞろと付いて行ってる僕らが珍しいのか、すれ違いざまにちらちらと見てくる。皆は、美しいミキを見てハッとしたり、サクラのぶちを見てくすりと笑った。でも気付けば皆、最後には必ず、兄ちゃんを見てぎくりとした顔をした。中にはぽかんと口を開いたままの男の子もいた。

兄ちゃんは小さな頃から、皆に注目されることに慣れていた。「長谷川一レジェンド」は幼稚園でも小学校でも続いていたし、兄ちゃんが道を歩いていると、男女問わず、その暖かな空気、春先に僕らを包む何かの匂いのようなそれに、思わず振り返っていた。でも、今回の注目、ぎくりとした視線には、兄ちゃんは慣れていなかった。昔はうっとうしいくらい好意の視線が自分を取り巻いていたのに、今では何か、見てはいけないもの、誰かがとんでもない失敗をしたのを見ているみたいな目が、自分の肩や腕、何より顔をちくちくと刺すのだ。兄ちゃんは、全く面食らってしまった。

僕らも、相当面食らった。皆が兄ちゃんを見る目が、こんなにおかしいのは初めてだったし、ちょっと居心地悪そうにうつむいている兄ちゃんなんて、見たことも無かった。僕らは何も変わっていないと思っていたのに、ただ地面に伸びる影が変な具合になっているだけだと思っていたのに、僕らを取り囲む世界は、明らかにその様相を変えていた。僕らはまだこの街がニュータウンだった頃、新しい道路や公園に馴染めず面食らっていたあの頃以上に困って、居心地の悪い思いをした。

僕が足元をすくわれそうになっていると、ミキが何を思ったのか、

「よーい。」

そんな風に言った。

「どん！」

の声を聞くまでもなく、ミキは車椅子を全力で押して走り出した。ミキはそのときまたどこから取れたボタンを舐めていたけど、そんなものもぷっと勢いよく吐き出して、猛ダッシュをした。がらがらと大げさな音を立てる車椅子の上で、兄ちゃんはじいっと前を見ていた。遠くに飛んで行くロケットを見てるみたいな目だった。僕とサクラも、「難関」に習ったあの息遣い、吸って吸って吐くそれで、ぴたりと二人をマークして走った。すれ違う人はますます「ぎくり」とした顔で僕らを見ただろうけど、僕らがそれに気付く頃には、もうその人は随分後ろにいたし、その頃には兄ちゃんはぎゅうっと目をつむっていた。

兄ちゃんのプレゼントには、散々迷って、サクラの散歩用の太い鎖を買った。

「これ、サクラへのプレゼントちゃうん？」

「でも、散歩行くのんほとんどお兄ちゃんやん。」

ミキが選んだ鎖は、赤と緑の格子状の模様が入っている、随分派手なものだった。今年も、兄ちゃんが喜んでくれるとは思えないプレゼントだ。時計を見ると六時半、そろそろ母さんが鍋の支度を始めている頃だ。僕とミキは、なんだかぐったりして、無言のまま家まで帰った。

ボール

玄関に父さんの靴が置いてあった。ミキが何年か前に兄ちゃんにあげた豚毛の歯ブラシは、その頃父さんの靴磨きになっていた。毎晩父さんはそのブラシで丁寧に靴を磨いていたので、どんな古い靴でも、新しい自転車みたいにぴかぴかと光っていたものだ。でも、父さんにも兄ちゃんの面倒くさがりが移ったのか、いつしか靴を磨くことを止めてしまった。玄関に転がっているそれは、くすんだ茶色をしていて、ぐたりとして、まるで溶けかけのチョコレートみたいだった。

鍋のぐつぐつ言う音と、母さんが話す声が響いていた。母さんのお喋りは晩御飯時にピークを迎える。ミキが機関銃のようなお喋りをするのに対して、母さんはちょっとした戦争の爆撃ぐらい大声で話す。でも後から思い出そうとしてみても、何を話してたのかあまり思い出せない。

兄ちゃんは、随分疲れているみたいだった。いつも一時間ほど行くサクラの散歩に、今日は二時間半かけていたと、母さんが言っていた。母さんはきっとまた、ひとりで時計を見て

「今何時ぃ？」

と言ったり、僕らの部屋で聞いた、わけの分からない黒人の歌を大声で歌っていたのだろう。声が少し嗄《か》れている。父さんはチェスをやっているときみたいに、時々お箸を止めてぼうっとしたり、母さんの話に絶妙な合いの手を入れたりしていた。

「そうか。」

「へえ。」

でも父さんは、クイーンがどう動くか、ビショップの位置はこれでいいのか、そんなことをずうっと考えてるみたいに、鍋がぐつぐついうのをじっと見つめている。最初こそ母さんは、父さんが上の空なのを見て

「聞いてんのぉ？」

なんて注意したものだけど、その頃にはそんなこと意に介さないという風で話すので、母さんのそれは長谷川家では大きな独り言としてみなされていた。

「暑いときにこそ、熱いもん食べんのがええねん！」

「冬のアイスは美味しいやろ？」

「熱いもん食べて、ばーっと汗かいて、なぁ？」

その夜母さんが何を話していたのか、父さんがどんな風に相槌を打ったのか、僕はそれくらいしか覚えていない。「暑いときに熱いものを食べるのがいい。」それだけだ。

ただ、ごはんを食べることに飽きたミキが、またサクラを入れてやったこと、散々匂いを嗅ぎまわったサクラが、諦めてテーブルの下であの唸り声を上げたこと、そして兄ちゃんが、突然話し出したことを覚えている。

ふいをつかれたサクラは、嬉しそうに尻尾を振ってやって来て、忘れず皆に愛想を振りまいた。そして下からテーブルを見上げて、どきどきしている顔をした。

「あら、あら。何かいい匂い。」

ミキが鍋の中から、サクラにあげるものを選んだ。ぐたりとした白菜、白すぎるえのき、ダシを出し尽くして疲れている昆布。でもミキが選んだものは、またサクラを喜ばすことは無かった。サクラはミキが投げた豆腐の匂いをくんくんと嗅いで、

「まぁ、こんなに匂いの無い食べ物初めて！」

そんな風に言って、そのままごろりと横になってしまった。ミキはサクラの口を無理やり開けて、豆腐を放り込もうとしたけど、その熱さにやられたのと、それと、兄ちゃんが突然こう言ったので、諦めた。

「ふ、フェラーリ、おぼ、覚えてるか？」

兄ちゃんは、真っ黒い小石の目で、どこを見るでも無くそう言った。誰に言ってるのか分から

なかったけど、父さんと母さんはそれぞれぽかんとしていたし、フェラーリを知ってるのは、僕とミキしかいないはずだった。

それにしても、フェラーリ！　その懐かしい響き！　いつだって下を向いて歩いて、意味の分からない言葉を呟いていた、あの男。ミキを見て、それから空を見上げたあの日から、ふわりと姿を消してしまった、フェラーリ。僕は懐かしさに、お箸を落としそうになった。

「はは、懐かしいなぁ！　覚えてる、覚えてる。」

「ミキは？」

「誰それ？」

「覚えて、へんのか？　ほら、一号公園の、あ、頭、おかしい、お、おっさん。」

ミキはあんな危険な目に遭ったのに、フェラーリのことは本当に何も覚えていないみたいだった。ミキはフェラーリに、自分の髪の毛に白髪が一本混じってるのを発見したくらいの興味しか持たず、そのままテーブルの下に潜り込んで、サクラとごそごそ何かやり始めた。お喋りを中断させられた母さんは、ちょっとぽかんと口を開けていたけど、今度は生まれて初めてプレゼントをもらったきらきらしたお姫様の顔で、兄ちゃんの話に聞き入った。でも兄ちゃんの話は、期待に胸をふくらませているお姫様を、うわあと喜ばせるような、そんな素敵な話では無かった。

「お、俺ま、まさか、自分が、フェラーリみたい、に、小さい子ぉに、指差されて、さ、逃げられるように、な、なるなんか、思わんかった。」

兄ちゃんは、その頃には手しか使わなくなったことで、完璧な両利きになっていた。ごつごつと荒く削ったこげ茶色の箸が兄ちゃんので、兄ちゃんはそれを使ってごはんを食べた。

「に、逃げられる。」

僕らはフェラーリがいると、いつだってどきどきした。何か恐ろしいことが僕らを待ってるような、踏み入れてはならない世界があるような、そんな気がした。

フェラーリは「フェラーリ」という存在で、僕や兄ちゃんや、学校の友達と同じ世界にいるなんて思わなかった。

でも、そのときの兄ちゃんは、まさにフェラーリと同じ世界にいた。フェラーリがどっぷりと浸かって決して出てこなかった、あの世界にいた。怖くて空を見ることも出来ない、自分の俊足をもてあましている、あのフェラーリと。

兄ちゃんを見て「ぎくり」としたあの目、兄ちゃんを見て逃げる小さな男の子たち。その男の子たちは、小さな頃の僕だったたし、兄ちゃんだった。木の上からフェラーリを指差して笑っていた、あの兄ちゃんだった。兄ちゃんは今、木に登ることも出来ず、誰より地面に近い位置で、必死に空を見ようとしていた。どうにかして誰とも目が合わないように苦心して、そして、その小石の目で、いつもあさっての方向を向くようになった。兄ちゃんは「面倒くさがり」の世界に入って、僕らがどれだけそのドアをノックしても、出てこようとしなかった。

「神様。」

兄ちゃんはその頃では珍しく、声高に、はっきりとそう言った。

「神様。」

突然聞こえてきたその言葉に、僕らは皆、なんだか困ってしまった。どこか知らない国の言葉を聞いてるみたいだった。机の下にいるサクラだけが唯一、その言葉の意味を分かってるみたいに、

「ぐふうっ。」

と唸った。

兄ちゃんが「フェラーリ」の後に「神様」なんてゆうから、僕はそれから「神様」と聞くと、それは金髪のやせ細ったあの人や、パンチパーマで微笑んでいるあの人じゃなくて、何故かどうしても、フェラーリのその姿しか思い浮かばなくなってしまった。ミキを見つめた、あの濁った目や、苦しそうに空気を出し入れする大きな鼻の穴、たった今砂嵐にあったみたいなぐちゃぐちゃの髪。フェラーリの持つそれらが、僕の心にそれから長く居座ることになる。

「か、神様は、いる、思うねん。空とか、う、宇宙とかそんなんやなしに、ひとりひとりの、心の中に。」

ミキが、サクラを枕にして寝ようとしているみたいだ。放り出した脚が、僕の脛《すね》を蹴った。サクラはまた、あの唸り声を出して、それでも諦めてミキに体を預けている。

「そ、それで、こ、心の中、から、俺らに、毎日、こう、ピ、ピッチャーみたいに、ボールを、

投げてくる。」

「ボール？」

その頃相当無口になっていた父さんは、少なくなっていく言葉と比例して、随分声が小さくなっていた。

「がー、がー、二四号、……います。」

「はぁ？」

てな具合だ。トラックの運転手は、小さな声の指令に、度々イライラさせられていた。でもその時の父さんは、ちょっとびっくりするくらい大きな声で兄ちゃんに聞き返した。

「ボールか？」

「う、うん。お、俺、今まで、直球しか、投げられたこと、なかったんや。こ、こう、真ん中に、ばしー、と、くるやつ。」

幼稚園で一人を除く全員の女の子に、「好き」と言われた兄ちゃんだ、グラウンドに出ると、そこだけぱあっと春が来たみたいに、皆の注目を集めていた兄ちゃん。もし兄ちゃんのいう神様ってやつがいるなら、そういえば兄ちゃんには、今まで随分甘いボールを投げてきていた。兄ちゃんはいつだってど真ん中に来るそれを、思い切り振り切ってホームランを打っていたものだ。ときには場外まで飛ぶような、ヒーローのホームラン！

「でも、最近、お、思うねん。神様、ちょっと、悪送球やって。打たれへん、ボールを、投げてくる。」

外角、内角、高め、低め、なんだっていいけど、最近兄ちゃんはストライクが多い。今まで目をつむってたってかっ飛ばしていたボールが、今では兄ちゃんの手に負えないものになっている。一度見逃したボールは、次から次へと兄ちゃんの打ちにくいところに飛んできて、いつしか兄ちゃんは、バッターボックスに立つのも怖がるようになってしまった。そして、フェラーリと同じ、自分の湖の奥深くに、度々潜るようになった。

サクラが机の下で、ぱたぱたと尻尾を打ち鳴らす。

「ボール？　いいわね、あの、軽やかな跳ね！」

サクラには、どんなボールが届いているのだろうか。

「う、打たれへんよ。」

僕はそのとき人生何人目かの彼女がいたけど、「辛いことがあったら言ってね」と笑ったゲンカンを、今こそ心から求めていた。ゲンカンの顔も、もうおぼろげにしか覚えていなかったけど、その少し固い胸を、柔らかな二の腕を、ありありと思い浮かべることが出来た。

「辛いことがあったら言ってね。」

ゲンカン、今がそのときだ。兄ちゃんが言った「打たれへん」という言葉それこそが、その「辛いこと」だよ。

どうした神様、いつだって気持ちいい直球を投げてくれてたのに、なんだってそんな悪送球なんだ！　兄ちゃんは、ずうっと、僕らのヒーローだった。僕は兄ちゃんの背中を見ると、安心して笑ったし、二段ベッドの上から聞こえてくる、頼もしい鼾を聞くと、それだけでぐっすり眠れた。矢嶋さんと恋をして、どんどん逞しくなる兄ちゃんを見て、ああ僕も、誰かを愛したいと思ったし、皆が必死でお洒落している間も、兄ちゃんに借りたＣＤを聴いて余裕でいられたんだ。なんだって最近の兄ちゃんは、ずうっとうつむいてるんだ、恥ずかしそうにするんだ、僕らのことをちゃんと見ないんだ。

　なんだって、そんなに泣くんだ！

　母さんが取り分けた鍋は、兄ちゃんの涙と鼻水でぐちゃぐちゃになっていた。鍋のぐつぐついう音はいつの間にか無くなって、ただ兄ちゃんの泣く声が聞こえた。

「打たれへん。」

　時計が九時を知らせた。サクラが机の下で、ずうっと尻尾を振っていた。

「ボール！　あの、軽やかな跳ね！」

ポスト

その年の十二月二十三日、金髪のあの人が生まれたという、その前の前の日に、兄ちゃんは市民の森で死んでしまった。二十歳と四ヵ月、サクラと散歩に出かけた夜だった。

十二月に入った頃、僕はミキから、あることを聞かされた。

ミキは僕の部屋に、赤いランドセルを持ってやってきた。そのランドセルはミキが三年生のときにすでに肩紐が千切れてしまったけど、母さんが渾身《こんしん》の力を込めて縫ったから、なんとかその後三年間、かろうじてミキの背中に背負われていた。左側にマジックペンで大きく「はせがわみき」と書いていて、ミキとすれ違って、小学生とは思えないその美しさにやられた大人なんかは、すぐにミキが「はせがわみきちゃん」だと分かるようになっていた。

「ランドセル。」

床に置いたそれを、ミキが指さしてそう言うので、僕はミキがまたおかしくなったのかと思った。

「ランドセル、やなぁ。それ以外には見えへん。」

「中。」

「え？」

「中見て。」

そのとき僕は、だまされないぞと思った。随分昔、ミキがクッキーの缶を持って来て僕に渡したとき、嬉々《きき》として蓋を開けた僕が見たのは、缶いっぱいに詰め込まれた、大量の芋虫だったことがあったのだ。今回のランドセルの大きさからして、ヘビ、もしかしたら哺乳類《ほにゆうるい》かもしれないぞと思って、僕は相当警戒していた。

「何や。」

「見て。」

なんだかミキは、随分焦っていた。発車寸前の列車の切符を、今まさに買っている女の人みたいに、ミキはとても急いでいるみたいだった。

それでも警戒して近づかない僕に、ミキは愛想を尽かしたのか、自らランドセルを開いた。そして、ひっくり返して、中身を僕の部屋にぶちまけ始めた。

僕の床の上に放り出されたのは、大量の手紙だった。僕が見慣れた、パステルカラーのそれ。宛先には「長谷川　一　様」とあった。

それは、矢嶋さんからの、ほぼ三年分の手紙だった。

手紙と一緒に、床にぺたりと座り込んだミキは、僕にとっては懐かしい、あの機関銃のお喋りを見せてくれた。

「毎日な、毎日、ポスト見てたやろ？　お兄ちゃん。毎日、毎日。だからあたしもな、真似してポスト見ててん。毎日、毎日。あのな、お兄ちゃん帰り遅かったから、ポスト見るの、あたしの方が早かってん。あのな、お母さんもな、ポストに入っとったやつな、全部テーブルに置くやろ？　お兄ちゃん、それもいっつも見とったやろ？　でもな、それ見んのもな、あたしの方が早かってん。あたしの方が早かった。あのな、矢嶋さんの手紙な、いっつも綺麗な色やろ？　水色とか、桃色とか、山吹色とか。どこで買うんやろう、こんな綺麗な封筒、どこに売ってんねやろうって思とった。ううん、売ってんの知ってる、駅ビル行ったら売ってんねん。うちの同級生もな、えらい綺麗な色のノートとか葉書き持ってんねん。な、それどこでも売ってる。でもな、あのな、矢嶋さんの封筒は、綺麗ねん。なんかもう、すごい綺麗ねん。どこ探しても、無いねん。綺麗で綺麗で、でな、お兄ちゃんは、毎日毎日それを待ってんねん。あのな、あたし、あたし、ずうっと、お兄ちゃんより先に、その封筒を見つけとってん。ポストを開けたら、ほんま、ものすご綺麗な封筒が、あんねん。あたし、あたし、あたし、」

兄ちゃんと矢嶋さんの恋を終わらせたのは、ミキだった。

兄ちゃんより先に綺麗なパステルカラーの封筒を手に取ったミキは、丁寧に封を切って、一言一句逃さず読んだ。それはもう、句読点まで全てを暗記するくらいに。その証拠にミキは、僕に向って、矢嶋さんから兄ちゃんに宛てた手紙を、順番に、残らず暗誦《あんしょう》しだした。

「長谷川君、元気ですか？　こっちはもう、桜が咲いていますよ。大阪より、気温も少し高いみたい。そちらはどうですか？　雨、降ってませんか？」

「サクラちゃんは元気ですか？　学校帰りに、サクラちゃんに似た犬が散歩してると、胸がぎゅうっと締め付けられます。」

「手紙が来ないって書いてたけど、どうしてかな？　私、毎日書いて送ってますよ。何か郵便局の人の失敗かもしれないね。ちょっと、聞いてみますね。」

延々と朗読を続けるミキは、何かゼンマイや電池で動いている、人形みたいだった。ミキがなまじ美しいから、それは余計そう見えた。僕は机からミキを振り返ったままの姿勢で、阿呆のようにミキの声を聞いていた。

「もう、私のことは忘れてしまったのですか？　どうか一度、声を聞かせてください。好きな人が出来たと書いていたけど、私はずうっと長谷川君のことが好きです。どうか、一度だけ声を聞かせて。」

この手紙を暗誦する頃、ミキは涙をぼたぼたと手紙の上にこぼした。ミキが泣くときは、いつだって大騒ぎだった。世界中の鶏が一斉に朝を知らせるみたいに、渾身の力をふりしぼって泣いた。でもそのときのミキは、ただ体の水分が飽和状態になったみたいに、大量の水分を体外に放出しなければいけないみたいに、ただただ涙を流し続けた。

「どうか、一度だけ声を聞かせて。」

ミキは矢嶋さんに、兄ちゃんの名前で
「ほかに好きな人ができました。もう電話をかけてこないでください。」

という、短い手紙を送った。何故こんなに短いかというと、そのときのミキが兄ちゃんの字を真似するのが、この長さで限界だったからだ。ミキは兄ちゃんの部屋からノートや手紙を持ち出して、恐ろしいほどの緻密《ちみつ》さで一字一字兄ちゃんの字を真似た。勉強なんてちっともしないミキだったけど、そのときミキは、世界中の誰にも真似出来ない熱心さで、毎晩机に向った。

「あんな、最初はな、習字の紙置いてな、写すねん。字をな、写すねん。いっこずつ。平仮名はな、まあるい。なんか全部まるまってる、寒がってるみたいやねん。ノートの白が寒いみたいにな、くるくるまるまってんねん。うちはな、あっためてあげたいんやけどな、それやったらな、お兄ちゃんの字になれへんやろ？　だからな、ただ、ずうっと写してん。ずうっと。カタカナは、いらんねん。カタカナで手紙は送れへんやろ？　なぁ？　昔の手紙みたい、そんなん。お兄ちゃんのノートな、サッカーの話ばっかり書いてる、フォワードが誰とか、ミッドフィルダーが誰とかな、勝手に自分のチーム作っとってんで。フランス人とかな、ブラジル人もな、お兄ちゃんのチームにおるねん。な、すごいなぁ。漢字！　そう、漢字むつかしかった、だってな、いっぱいある。平仮名もカタカナも、数決まってるやろ？　でもな、漢字は決まれへん。いっぱいありすぎて分からへん。だからな、三つだけ練習してん。『好き』とな、『人』とな、『電話』それだけ。どれが一番むつかしい思う？　あんな、『人』やで。人書くとき一番むつかしかった。あのな、こんな風に書くねん。」

ミキが僕の床にマジックペンで書いた「人」という字は、今でも消えてない。兄ちゃんの、父さんに似た少し右上がりの字、最後の一画を書くとき、ペンを跳ねるようにするそのやり方。ミキは僕の床に、兄ちゃんの字そのもので「人」と書いて、そのまま顔を上げなかった。ミキは何十時間もの睡眠時間を削って、呆《あき》れるほど長い時間をかけて、兄ちゃんの字を完璧にマスターした。ミキが何かに夢中になったのは、これだけ身を削ったのは、恐らく生涯で、それだけだろう。兄ちゃんの字を、そっくりそのまま書けるようになるという、それだけ。ミキはいつしか他の字も、兄ちゃんのそれを書くようになった。もう、自分の字を持つことを、諦めてしまった。

兄ちゃんの書いた「人」を見つめたまま、ミキはいつまでたっても、顔を上げなかった。ミキが矢嶋さんの手紙を朗読し出してから、ほぼ三時間が過ぎていた。そろそろ母さんが皆を食卓に呼ぶ声が聞こえるはずなのに、その日はいつまでたっても聞こえてこなかった。

その日ほど、母さんの声を切実に聞きたいと思った日は無かった。曇り空の浜辺で、雲の切れ間からまるっきり奇跡みたいに差し込んでくる日の光みたいな、母さんの声。僕らをおせっかいなくらいぎゅうぎゅうと包み込む、あの、ちょっと鼻にかかった声。

ああでも、ミキの声は、悲しくなるくらい母さんのそれに似ていた。優しい、優しい、母さんの声で、ミキは最後にこう言ったのだ。

「また、違う町に引っ越します。一君が他の人を好きになっても、私はずっと、あなたのことが好きでした。」

振り絞るようにそう言った後は、体中の水分を出し切って、それでも足りないというように、ダラダラと涙を流し続けた。パステルカラーの封筒は、ミキの涙が落ちたそこだけ、じわあっと濃い色になって、大量に積み上げられたそれは、フェラーリが隠れていた、一号公園の車みたいに見えた。それで僕は、またどきどきと不安になった。僕らの知らなかったフェラーリの世界が、すぐそこまでやってきていた。僕たちには無関係だと笑っていた、そしてそのことにも気付かなかった世界が、今まさに、僕らを包もうとしていた。僕は登る木が無いかとあたりを見回したり、すぐにでも逃げ出せるように脚をならしたりしたけど、目の前には、馬鹿みたいに座り込んでいる恐ろしいほどに美しい女の子と、その女の子以上に美しい封筒の山があるだけだった。

サクラが庭を歩き回る音が聞こえた。さく、さく、と地面を蹴る音が、僕らの耳に優しく響いた。なんだってサクラは、いつも僕らを安心させるのだろう。そのとき僕は、兄ちゃんが事故に遭った日、喉を通っていったあの牛乳の膜の、その感覚を思い出して、気持ち悪さに倒れこむ寸前だった。それでもサクラの足音を聞くと、窓の隙間から風が吹き込んでくるときみたいに、ひゅうっと喉を何か柔らかなものが通るのを感じた。

兄ちゃん、矢嶋さんも、兄ちゃんのことを、ずうっと好きだったんだよ。

ああでも、もう遅かった。何に対して、何が遅いのか、混乱した頭では考えることが出来なかったけど、兄ちゃんのつぶれてしまった顔や動かない下半身、パステルカラーの封筒だけをポストから抜き取っていたミキ、そんなものが頭の中をぐるぐる回った。悪いことにそれはサクラの足音とスピードが同じで、さく、さく、さく、というそのリズムに合わせて浮かぶから、何かそれが、とても優しい、尊い出来事のように思えてしまうのだ。

さく、さく、さく、さく。

僕は、ミキをぶった。グーでぶったのか、パーでぶったのか覚えてない。でも、力いっぱい振り切った僕の手は、ミキを左側にぐらりと傾かせるほど強烈だった。ミキの髪の毛は、スローモーションで肩からだらりと落ちて、ミキの口からか、鼻からか、どこかから出た血が、またパステルカラーの山を汚した。飛び散った赤は、それはそれは綺麗で、迷うことの無い赤で、だから僕は、ますます優しく、絶望的な気持ちになった。

僕の衝動は止まらなかった。ミキの顔を、ぐちゃぐちゃにつぶしたかった。その髪を、根元から引きちぎって、肩の柔らかな曲線を、どこか遠くに飛ばしてしまいたかった。

気がつくと僕は、汗が飛び散るくらい、ミキのことをぶっていた。僕がミキをぶつ度舞い上がる封筒は、雨の水色、日向の山吹色、春の黄緑、ああそして、優しい優しい、優しすぎる桃色。それは、あの日サクラの尻尾についていた、あの花びらみたいだった。

さく、さく、さく、さく。

汗だと思っていたそれは、僕の涙だった。長谷川家の次男と長女は、ふたり、馬鹿みたいに涙を流して、六畳の部屋を、その涙でいっぱいにしそうだった。

そのとき、ミキの体から、声が聞こえた。

花弁が落ちて、最後に輝こうとしている花のように、夏の最後にやってくる、悲しい雷のように、何かを狂おしいほどに求めている、切実な声が聞こえた。

「タスケテクダサイ。」

と、それは言っていた。

「タスケテクダサイ。」

それは、誰かに絶望的な恋をしている、女の人の声だった。


兄ちゃんはミキがプレゼントしたあの派手な鎖を木に吊るして、もう片方の端を首に巻きつけた。巻きつけられたそれは、何か毒を持っているヘビみたいで、散歩になれているはずのサクラさえ、ちょっとぎょっとして兄ちゃんを見つめた。兄ちゃんは、ちょっと深呼吸してから、思い出したみたいに、車椅子から降りた。そう、ただ腰を浮かせて、車椅子から、少し降りただけなのに、兄ちゃんは、そのまま死んでしまった。兄ちゃんの体は、ちっとも空中を揺れることなく、地面にぺたりと腰を降ろしたままで、ミキの舐める銀のボタンみたいに、冷たく冷たくなっていた。

兄ちゃんのポケットには、紙切れが入っていた。

『この体で、また年を越すのが辛いです。　ギブアップ』

それはミキが真似をした、男らしい兄ちゃんの字じゃ無かった。「好きだ」と書くときに、少し力が入りすぎる、右肩あがりの、あの字じゃなかった。

それはふにゃふにゃと頼りなく、間違って水で洗ってしまったレシートのように、触れるとぽろぽろと崩れてしまいそうだった。

その夜から、あんなにお喋りだったサクラが、何も話さなくなった。

勉強

写真の中の兄ちゃんは、昔の顔のままで笑っている。

その笑顔は、女の子だけじゃなく、僕ら男も、おじいさんも、小さな男の子でさえ、思わず一緒になって笑ってしまうような、晴れた海の眩しさだった。兄ちゃんを見ていると、誰もが

「もっと笑っていて。」

と思ったし、そして、この時間がそのままずうっと続けばいいと思った。でもその時間は、唐突に、あっけなく、途切れてしまった。

お葬式には、随分たくさんの人がやってきて、僕らにとっては懐かしい顔も何人かいた。あの「難関」が、自分そっくりな子供を連れて来ていたし、ミキに「勇気あり」の記録を更新された望月君も、随分ハンサムになってやって来た。皆僕たちを見て、心底辛そうにお辞儀をして行ったけど、僕は懐かしさから唐突に湧いてきた楽しい気持ちを抑えることが出来なくて、一番前の席でにこにこしてしまった。何か、皆に向って力いっぱい両手を振りたい気分だった。でも、母さんが僕の右手を力いっぱい握っているから、それは諦めた。僕の右手は母さんのせいで、まるで大量の蚊《か》に刺されたみたいに、爪跡がたくさんついている。母さんの横顔は、熟れすぎたマンゴーみたいだ。だらりと垂れていて、触るとぐちゅぐちゅと汁が出て、ちょっと揺り動かすと、そのままぼとりと床に落ちてしまいそう。昔周りの皆に憧れのため息をつかせたアーモンド形の目は、今では脂肪に押されて、余分な種みたいに、顔にはりついている。そういえば母さんは兄ちゃんが事故にあってから、お化粧というものをしていなかった。綺麗な赤が輝いていた唇は、キャラバン隊長の皮膚みたいにごわごわとしていて、涼しげな青が乗っていた瞼は、鬱蒼とした森の影みたいに黒い。目をつむると、それは余計黒さを増して、その黒は厄介なことに、僕の心の中にまで入り込んできそうだった。

母さんの隣に座っている父さんは、全く小さかった。母さんを簡単に抱き上げたり、息が出来なくなるくらい抱きしめることが出来た父さんの体は、今では母さんの陰に隠れて見えないくらい痩せてしまった。じいっと前を見つめているようだったけど、お葬式の間中ぴくりとも動かなかったその体は、昔じいちゃんの家で見た古い柱時計みたいだった。柱時計は、お焼香にサキフミさんが現れたとき、少しその体を揺らしたけど、でもまた、元のように進まない時間を刻んでいた。

サキフミさんは僕らに向って、ゆっくりとお辞儀をした。あんまりゆっくり頭を下げるから、そのまま倒れてしまうんじゃないかと思ったほどだった。サキフミさんの影にぽたぽたと水滴が落ちて、それで僕はサキフミさんがお辞儀をしたまま泣いているのが分かったけど、いつもなら如才なく綺麗な花柄のハンカチを出す母さんは、ぼうっとそれを見ていただけだったし、もっと悪いことに、僕の隣でミキが大きな音を立てて小便を漏らしだした。

ぼたぼたと床に落ちるそれは、サキフミさんの涙なんて目じゃなくて、僕は、ミキはきっと、涙というものをあの夜に一粒残らず全て使い切ってしまったんだと思った。

ミキはその日、立ち上がってお焼香をばくばくと食べたり、兄ちゃんの棺《かん》を勝手に閉めたり、それはもう好き勝手にやっていた。見かねた僕が小声で注意すると、

「なぁ、白目になってる?」

と、思い切り上を向いた顔で言ったりして、なんてゆうかもう、手に負えなかった。

やっと静かに座っていると思ったら、最後には小便まで漏らして、ミキは、小さな子供みたいに、サキフミさんに手を引かれて斎場を出て行った。出て行くときに、兄ちゃんの写真を振り返ったけど、知らない人を見ているみたいに首をかしげて、またひょこひょこと歩いていった。皆、美しいミキを見て驚いていたけど、いつか兄ちゃんを見たあのぎくりとした顔をして、またうつむいた。

「綺麗な子。」

そうゆう声が、会場のどこかから聞こえた。

そのとき僕は誰かを、生まれて初めて殺したいくらい憎んだ。

ミキは高校に行かなかった。受験勉強みたいなことをちょこちょこしていたみたいだったけど、それも全くしなくなったのだ。それどころかミキは兄ちゃんが死んでから、日常のことに、一切努力を払わなくなった。学校にも行かなかったし、しばらくは起きて歯を磨くこともしなかった。ごはんを食べるのも面倒くさそうだったし、爪なんて山猿のそれみたいに長くてとがっていた。

ミキはただ一日ぼうっと部屋で過ごして、たまにサクラを家に入れては力いっぱい抱きしめたり、永遠と思われるくらい撫で続けたりした。まるでサクラという粘土細工を作ろうとしているみたいに、手でごしごしとこすったり、背中の肉をぎゅうっと握り締めたり、サクラはそんなときいつも、困ったような、くすぐったいような顔をしたけど、何も言わず、ただただじいっとミキにされるままにしていた。

ミキの代わりに、僕は猛烈に受験勉強をすることにした。驚異の暗記力は相変わらずだったから、試験の前日に教科書さえ覚えたらそこそこの点数を取っていたけど、僕は生まれて初めて、本格的な勉強というものをしてみた。

教科書を丸ごと暗記するのじゃなくて、書いてあることを一文字一文字理解するようにした。この方が身になるし、後々まで忘れないだろうと思ったからだ。今まで教科書を読むと激烈に太っていた僕だけど、そうやってひとつひとつ理解しながら先へ進む作業は、僕の体重を激烈に減らした。

例えば生物で、カエルの解剖写真を見るとする。テストに出るのは各臓器の名前だとかその機能だけだけど、僕はその臓器が何でそんな形をしているのか、その機能はどうやって決められたか、ともすればカエルってなんなのだ、ということまで知りたがった。光の屈折率を勉強するときはそもそも光とはなんぞや、と思ったし、虚数なんかが計算式に出てくると、「虚」について三時間ほども考え込んだ。フランスの革命家を覚えこんでいるときは、何故彼らの頭がくるくるとカールしているのか、流行っていたのか、待てよそれじゃぁ日本のちょん髷《まげ》は何だ、兜《かぶと》をかぶりやすいように？　なら上で結うのは何故だ？　そんな風で、つまりキリが無かった。

僕はまる一ヵ月図書館でそうやって勉強したけど、六キロ落ちた体重と共に分ったのは、

「僕は、勉強が嫌いだ。」

ということだ。笑ってしまうけど、試験にも軒並み落ちた。その頃から、彼女や友達に
それから僕は勉強と、ともすれば考えることもやめた。

「何を考えてるか分らない。」

と言われることが多くなったけど、実際、何も考えていなかっただけだ。

その頃付き合っていた彼女はとても真面目《まじめ》な女の子で、僕がよく図書館で本を読んでいるのを好ましく思っていた。僕は本を読むと何も考えないから好きなのであって、その中から何か知識を得ようとか、人生の進むべき道を発見しようとかそんなことを思っていたわけじゃないけど、それでも彼女は僕が読んだ本がどんな内容だったか聞きたがった。

でも僕は、読んだ本の内容なんて片っ端から忘れてしまっていたし、そもそも読んでいるのかどうかさえ怪しかった。

「覚えてないよ。」

「覚えてない？　何を？」

「何って、本の内容。」

「何で？」

「何でって。」

「読んでないの？」

「うん、文字を追ってる。」

そんな感じ。彼女はますます僕のことが分からないと言ったし、その後に出来た一つ上の彼女も、二つ下の彼女も、中国人と日本人のハーフの女の子も、今の、パーマの彼女もそう、皆声を揃えて

「薫君が分からない。」

と言った。はは、僕だって分からなかった。

春が来る頃には、僕はもう、勉強するということをあきらめて、ただただ色んなものを覚えることにした。ミキや兄ちゃんが覚えているようなこと、日常の些細《ささい》な出来事を、片っ端から頭の中に焼き付けた。ある晩台所で座り込んだ母さんの喉に、ワインの最後の一滴がどんな風に飲み込まれていったか、父さんが庭でチェスを燃やした火が、どんな風に空に昇って行ったか、サクラが薫さんにもらった最後のタワシを、どんな風にバラバラにしたか。それは一枚の絵のように、僕の頭の中にぺたりぺたりと貼りついていった。

そのとき僕は予備校だとか学校だとか、とにかく何にも属していなかったけど、もしそこにいたら間違いなく学年一のガリガリ君だったろうと思う。何せ一八六センチ、五七キロ。腰骨は死んだひいじいちゃんの手の甲みたいに骨が浮き出ていたし、首なんてたまにミキが捕まえるクモの脚みたいに細かった。

サクラは相変わらず言葉を忘れたままだった。僕が散歩用の鎖を見せると

「うおう、うおう、うおう！」

と、病院中を響かせた声で唸って僕に甘えてきたけど、宝物の緑のタワシは犬小屋の中にしまったままだったし、道で他の犬にすれ違ったら、むき出しの闘志を見せるようになった。あんなにお上品だったサクラが、他の犬に喧嘩を売ることに僕は驚いたし、何よりサクラがあまりにも犬らしい仕草をするのが、ちょっとおかしかった。

その頃の母さんは、いつも決まって何かを食べていた。それは失敗してハチミツをひっくり返してしまったみたいに甘いドーナツや、絞る人がくしゃみをしてしまったみたいにたっぷりと生クリームが乗ったケーキ、僕を見つけた母さんは言い訳するみたいに、いつもこう言った。

「脳みそに届く栄養って、砂糖だけやねんて！」

せっかく母さんの脳みそに届いた栄養も、夜中に台所で飲む大量のアルコールと共に、きっとどこかに飛んでしまっているのだろう。母さんは馬鹿みたいに同じことを何べんも言ったり、何てこと無い場面で色んな物を落として壊していた。

父さんは母さんがあんまり太ったから、あんなに燃え上がっていた恋心を忘れてしまったみたいだった。キングサイズのベッドは母さんが眠っている方にかしいで、それはもう沈没直前の船みたいになっていた。父さんのこけた頬は、どこかの底なし沼みたいにどろりと濁っていて、一度それをじいっと見つめると、そのまま足をすくわれそうになった。そう、父さんを見ていると、まったく不安で、何も手につかなくなった。父さんが時折話す
「薫、ミキは？」

や、

「明日も雨や。」

そんな言葉は、何か不吉な呪文みたいに僕らの心を暗くしたたし、父さんが時折つくため息は、僕らの周りからきらきらきらした空気を全て持って行ってしまうような気がした。宇宙一幸せに輝いていた男は、今では母さんのタロットカードの死神みたいに、僕らの悲しみや苦しさだけに敏感な男になってしまった。その変化は僕らを驚かしたし、長谷川家の幸福、ぽかぽかと暖かなそれは、大半を兄ちゃんと母さんが担っていたと思っていた僕らは、実は長谷川昭夫その人こそが、その役割を果たしていたことに気付いた。僕らの幸せは、母さんの高らかな歌声、サッカーボールを蹴る兄ちゃんの逞しい脚、そうゆう燦々と降り注ぐ夏の太陽みたいな暖かさではなくて、父さんが静かにチェス盤に駒《こま》を置くことりという音、本から顔を上げた父さんが眼鏡を拭くきゅっきゅっという音、そんな秋口の遠慮がちな太陽みたいなそれに、圧倒的に頼っていたのだった。父さんは誰知らず僕らを守り、いつかやってくる冬のために、暖かな寝床を用意していた。ああでも、長谷川家に本当の冬がやってきたそのときには、父さんは体中の暖かさを出し尽くして、ただただ疲れきっていた。そう、父さんはまったく、疲れ切っていたのだ。

兄ちゃんは母さんほど甘いものが好きじゃなかったけれど、兄ちゃんの墓参りに行くとき、母さんは絶対に甘いものを持って行った。それは家から三十分くらいのところにある墓地に着くまでには、大体半分の量に減ってしまうのだけど、それでも母さんは兄ちゃんの墓に甘いものを供《そな》えるのをやめなかった。

「砂糖が脳みその栄養になるって教えてくれたん、一やから。」

母さんはそう言って、いつまでも手を合わした。

「ここに栄養つまっててんねん。」

そう言って牛乳の膜を飲んでいた兄ちゃんを思い出した。

雨音

小さな頃、雨が降りだすと、僕らは外で遊べなくなることで騒ぎ立てたり、それでも庭に出てドロドロになって遊んだり、窓の外を滑るように降りてくる水の粒をじいっと見つめたり、とにかく、心がざわざわと落ち着かなかった。朝起きて雨音が聞こえたときの、あのやるせなさは、僕をなんだか少し大人にしたたし、夜中に降りだす雨は、暖かい布団にいる僕を安心させ、それで僕は赤ちゃんの頃に戻ったみたいに、丸くなって眠った。

ミキは、誰よりも雨の始まりに敏感な女の子だった。

どんなに晴れた日でも、風の無い日でも、なんにも匂いがしない日でも、

「雨や。」

まるでミキのそれが合図みたいに、もくもくと真っ黒い雲がやってきて、ぽつり、ぽつりと、恥ずかしそうに雨が降ってくる。ミキは、地面に落ちるそれを心配するみたいに、大きく上を向いて、それで、そのままじいっとしている。なんにも言わないけど、そんなときミキは、大きな声で
「おかえり！」

そう言ってるみたいだった。

晴れた日も長靴を履いていたミキだ。雨が降ると、まるで自分の仕事を見つけたおじいさんみたいに、それはそれは熱心に雨と遊んだ。肩を滑る雨粒を舐めてみたり、地面から跳ね返るそれを優しく見つめたり、雨音を聞こうと、地面に耳をつけたりした。そして大概、雨がやむと風邪をひいた。鼻をつまらせてくしゃみをしながら、ミキは苦しそうで、それでも、また次の雨を待っているみたいだった。

水栽培の花みたいなミキ、雨はいつだって、ミキの側にいた。

兄ちゃんが死んでからも、ミキは雨と一緒だった。兄ちゃんが事故に遭った日降っていた雨は、少しミキに意地悪をしたけど、それでもミキは外に出るとき傘を差さなかったし、濡れた体を拭こうともしなかった。あの日ミキの前髪からぽたりぽたりと落ちる水滴は、ミキを慰めているみたいに、ミキの頬を虹色《にじいろ》の光で撫でた。

その夜も、雨だった。

それは深夜から降る雨で、ミキの一番好きなものだった。

夜降る雨と、夜から降る雨は、全然違うと、ミキは言った。

「夜中から雨が降り出すと、世界中に雨が降ってるみたいに思うねん。晴れてるところなんて、無いんちゃうかって。世界中が真夜中で、それで皆、うちらみたいに、お布団に潜って、じいっと雨音を聞いてる。静かぁに、静かぁに。」

小さな頃のミキは、夜中から雨が降り出すと、小さな声で兄ちゃんを呼んだ。

「お兄ちゃん。」

でも兄ちゃんは、いつだってぐっすり眠っていた。まるで、眠るのが仕事の王様みたいに、それはそれはいさましく眠った。兄ちゃんが決して起きないことを知っていて、それでミキは、ますます安心して、何度でも兄ちゃんを呼ぶのだ。

「お兄ちゃん。」

僕は窓を叩く雨粒と、ミキの小さな声を夢うつつで聞きながら、このまま朝が来なければいいのに、そんな風に思って眠った。

小さな頃。幸せだった、あの尊い時間。

僕らの家の屋根を、雨達が優しく叩いていた。時々乱暴な奴がいて、そいつは大きな音を立てて大げさに着地するので、眠っていたサクラが耳をぴくぴくと動かした。

うつらうつらしだした僕は、甘いような、むせ返るようなその匂いと、屋根を叩く色んな音で、目が覚めた。本当に、ぱちりと目が覚めた。いつもなら雨音を聞いて、安心してまた眠ってしまうのだけど、その日は、眠れなかった。

兄ちゃんが事故に遭った、あの日の胸騒ぎとも違う。引越しの日の朝の、ひりひりした気恥ずかしさとも違う。何か僕の奥の方で、何かを知らせる音が聞こえた。


さー、さー、さー。

ぽつ、ぽつ、ぽつ。


雨音に邪魔されて、僕は胸の声が聞こえずにいた。ただ僕の五感は、初めて鯨を見つけた南の島の子供みたいに研ぎ澄まされて、心臓の音が、まるで枕元に置き忘れたみたいに大きな音で聞こえた。それは砂漠で聞こえる大地の唸り声みたいに、何かが始まる予感に満ちていた。


どく、どく、どく、どく。

どく、どく、どく、どく。

「お兄ちゃん。」

声が聞こえた。


どく、どく、どく、どく。

さー、さー、さー。


その声は、兄ちゃんの部屋から聞こえてきた。

「お兄ちゃん。」

そのとき僕の目に、色鮮やかな花びらが浮かんだ。薄い黄緑や、黄色や、オレンジや、水色。そして、ピンク。ふわあっと舞い上がったそれは、僕の視界を曇らし、それでも苦労して僕が遠くを見ると、そこには、ミキが立っていた。たくさんの封筒に、パステルカラーの、世界一綺麗な封筒に埋もれて、ミキがこっちを見ていた。

「お兄ちゃん。」

兄ちゃんの部屋から聞こえてくるそれは、優しくて、みずみずしくて、そして、とても悲しかった。世界で一番優しい、優しさがすぎて、悲しい。そんな声だった。

「ああ。」

ミキの声は、父さんが母さんにたてさせたそれ、あの、母猫の声だった。

ああそれで僕は、何もかも分かってしまった。

夜中すぎて降りだした雨、その雨音を聞きながら、ミキはその部屋に行く。ミキはちっともお洒落をしなかったけれど、そのときは、たったひとつ持っている、青色の櫛《くし》で、真夜中の髪を丁寧に梳《と》かす。リップクリームを持っていないから甘い唾で濡らす唇は、悲しみのあまり、愛おしさのあまり、いつも少しゆがんでいる。唇から覗く象牙《ぞうげ》のような歯は、誰かを、愛しい人を、噛み砕いてしまいたいと、小さく震えている。たくさんのものを見すぎると涙が溢れてしまうから、湖の静かさをたたえた瞳は、固く閉じる。枕からは、懐かしい、懐かしくて、少し気が遠くなるような、日に照らされた麻のような匂いがして、しばらく体を動かすことが出来ないでいる。

「お兄ちゃん。」

ミキは初めて立ち上がったあの日、窓の外を、ふわりと飛び降りてくる男の子を見た。肩に風呂敷を巻いて、野球帽を後ろ前にかぶって、それが落ちないように手で押さえながら、森の木がぶつかり合うときみたいな音をさせて笑う、男の子を見た。

今ミキの手は、他の誰も手に入れることの出来なかった、細い細いその体に触れる。

「ああ。」

誰も踏み入れたことが無い、雪山みたいにきらきらと輝くその子に、ミキは初めて触れたいと思った。小さな小さな赤ちゃんのミキは、立ち上がった。

ミキが手を伸ばすと、どこか遠くへ消えてしまいそうな、シャボン玉の無邪気さでもって、その男の子は、こう言ったんだ。

「僕の、妹！」

ミキは、その頃からずうっと、ずうっと、兄ちゃんに恋をしていた。

小さな頃、何か言いたいことがあっても、何も話さず、ただ色んな音を出した。ガラガラと何かを引き摺る音、きいきいと何かを引っかく音。それは僕らの耳の奥まで届いて、それで僕らは、ミキが何を言いたいのか、そしてその音を聞く僕らが、どんなに幸せなのかに気付いた。

ミキの恋は圧倒的で、かけねがなくて、恐ろしいくらい優しかった。世界から何もかも消えてしまって、でも、何かの奇跡が起こって、たったひとつ残る。そんな恋だった。

ああでも、いつしかその恋が間違っていると気付いたときから、ミキは、音を出すのをやめてしまった。

さー、さー、さー。

さー、さー、さー。

いつの間にか僕の心臓の音は、どこか遠くへ去っていった。窓の外では、雨粒が律儀に地面を濡らしていて、それなのにとても静かで、そのとき、世界中が真夜中だった。

空にいわし雲が浮かんで、それはもうどこかに大急ぎで移動しようとしてる大群みたいにたくさんの雲で、そんなある日、父さんが長谷川家から姿を消した。

それは本当に唐突に起こったことで、でも、僕も母さんもミキも、誰も何も言わなかった。ただ、ミキのあの一言だ。

「あー、くそ。」

花梨の木が、ほとんど自分の体の重みに耐えかねて、ばっさばっさと葉っぱを地面に落としていた。サクラはとっくにタワシを頬張るのを諦めていたから、葉っぱが土に帰って行く様を、じいっと見ていた。

父さんは明け方、まだいわし雲が出ていない頃、ちょっとピンク色がかった空を見上げて、それから、犬小屋から出てきたサクラの鼻を軽く撫で、それがちゃんと濡れているのを確認してから、扉を開けた。かちゃーん、と大きな音を立ててしまったけど、もう、気にしなかった。母さんが気付いていることを父さんも分かっていたし、なんてゆうか父さんは、とっても疲れていた。

チェスの駒を操るときみたいに、優秀なナビを仕事で発揮していたけれど、それは昔の話。その頃の父さんは、なんだか随分疲れていたので、ぼうっとしてしまうことが多かった。例えば、

「一七六号、応答願います。」

そんな風に言ってそのまま黙り込んでしまったり、岡山に向っているトラックに、広島の道の名前を言ったり、そんな具合。何せ困ったことになっていた。

父さんは、とても疲れていた。

台所にあるアルコールの類が急激な勢いで無くなっていること、物置に収まりきれなかった車椅子がどんどん錆びてしまっていること、息子が最後に残した言葉が「ギブアップ」だったこと。色んなことが頬の肉と一緒に、父さんから心を奪って言った。ミキが生まれた日、恐ろしく尊いこの世の出来事に涙したり、時々読んでいる本から顔を上げて、僕に笑いかけたり、母さんの腰に手を回すとき、少し腕を丸めるようにしたり、そうゆうことを忘れてしまった。

父さんは、とても疲れていた。

父さんがいなくなってから、一週間ほどした日、ミキがまた、僕の部屋にやってきた。

その頃には僕らは家族の不在を、母さんが空になったビンを床に置く音や、花梨の葉っぱが落ちることとくらい慣れてしまっていた。父さんからは何の連絡も無かったけど、家を出てから三日目くらいの晩、電話がかかってきた。

「溝口です。」

聞きなれた、低い男の人の声だった。テープを巻き戻すみたいに、必死で誰か思い出そうとしたけど、誰かわからなかった。曖昧に「はあ。」なんて言った僕の反応に自信が無かったのか、その人は、少し恥ずかしそうにこう続けた。

「サキコです。」

それは、笑っちゃうくらい確実に、サキフミさんの声だった。

「お父さんは、大丈夫だから。」

小さな声でそう言って、サキフミさんは電話を切った。とても一方的だった。僕は受話器を持ったまま、少し困っていた。大丈夫、て何が大丈夫なんだろう。お父さんは大丈夫、生きてるよ。お父さんは大丈夫、もうすぐ帰るよ。お父さんは大丈夫、どんどん太ってきてるよ。どれも僕にはしっくりと来なかった。だから僕は、とりあえず父さんがサキフミさんと一緒にいること、電話が切れるとき、ぶー、と公衆電話の音がしたことを皆に話した。

「ふうん。」

我が家の女性陣は皆、興味がないという風で、曖昧な返事をした。母さんはまたトースターを開けて、ハチミツの重みでぺしゃんこになっているパンを取り出したし、ミキはその頃から頻繁に始めるようになったペディキュアを、それはそれは熱心にしていた（ほとんどはみ出していたけれど）。

ミキが僕の部屋にやって来た夜、ミキの足の爪は黄色だった。ブラジルチームのユニフォームみたいに能天気な黄色で、案の定はみ出しまくっているから、ミキは本当に心をどこかに置き忘れているようにみえた。

「ランドセルが無い。」

ちょっと腑《ふ》に落ちないといった風情でそう言って、ミキは僕のことをじっと見た。ミキに見つめられて、僕も腑に落ちなかったけれど、そのとき僕の頭に、ある映像が浮かんだ。

朝刊を脇にはさんで、ボストンバッグを右手に持って、そして左の肩に、小さな小さな赤いランドセルを背負っている男。恐ろしく太い糸で肩紐が縫われている、色の褪せた、あのランドセル。ミキの、苦しみや、憧れや、悲しさや妬《ねた》みや、優しさや、何より誰かを恋する気持ちが、いっぱいに詰まった、ランドセル。ああその赤は、あんまり乱暴にミキが扱うから、何度も何度も取り出して抱きしめるから、いつだって涙で濡れたから、もう、自分がどれだけ綺麗に輝いていたかを忘れてしまっている。ボストンバッグに入れるには大きすぎるし、かといって背負うには小さすぎるそれを、恐らく父さんは相当もてあましたのだろう。少し深呼吸して、ちょっと恥ずかしそうに、肩にかけたのだろう。そしてかけたとき、その重さに、自分の肩にのしかかる何かの重さに、とても驚いたのだろう。

あの夜、なかなか僕らを夕飯に呼びに来なかった母さんの代わり、父さんはじっと扉の向こうで、僕らのやりとりを聞いていた。矢嶋さんの手紙を暗誦し続けるミキの声を、そしてぞうっとするくらい綺麗な軌跡を描いて舞い上がったあの手紙の、そのさらさらという音を聞いたのだろう。

そして雨の夜、ミキの恋を知ったのだろう。

「ランドセルが無い。」

ミキは、馬鹿みたいにもう一度そう言った。でもミキは、ランドセルはきっと、父さんが持って行ってしまったこと、そして恐らく、もう二度と手元には戻ってこないだろうことを知っていた。だってミキは、ずうっと一緒に眠っていたぬいぐるみを母親に渡した夜の女の子みたいな、誰にも告げずに外へ出かけて秘密の場所を見つけてしまった男の子みたいな、不安げな、でも、少し興奮して、それでいて腑抜けたような表情をしていた。

僕は僕で、もう父さんは帰ってこないのだろうと、ぼんやり考えていた。そしていつか、長谷川家から男はひとりもいなくなるのだろうと思った。


僕は二十歳になって、東京の大学に入った。

そのときの僕は、今の自分より先にあることを考えなかった。僕の頭は、自分の記憶を辿るそれだけに使われていて、これからの自分、新しい恋人、そんなことを考えることに、一切努力しなかった。僕の頭の中は貼り付けられた記憶の断片で、まるでピカソの絵みたいだったし、キラキラと光ったり黒く沈んだりしているところが、どこか荘厳な教会のステンドグラスみたいだった。何かを反射したり吸い込んだり、僕の頭の中には、未来なんて無かった。

お金は自分で貯めた。大学に行くことが目的だったわけじゃないし、家計を助けようと思ったわけでもない。家の預金口座には、父さんから定期的にお金が振り込まれていて、それで僕らは全然普通の生活が出来た。僕らの生活に必要なのは、ほとんど大半が母さんの口に入るものだったからだ。僕もミキも、新しい靴や、服や帽子なんて買わなかったし、ミキに至っては何日も同じ服で過ごしていた。

ただなんとなく、お金を貯めようと思った。頭の中に記憶を蓄えるみたいに、ミキがランドセルに手紙を入れてたみたいに、ただ、お金を貯めた。

サクラの散歩以外にほとんど外出しない僕が出来たのは、出会い系サイトのサクラだった（サクラとサクラ、まったく笑えない偶然だ）。

『二十二歳、テニスとカラオケが好きな女の子です。優しくて、一緒にカラオケに行ってくれる人募集。』

『二十七歳の人妻です。お昼暇してるので、メールください。』

恐ろしいくらいたくさんの女の人の役をしていると、自分が誰なのか時々分からなくなった。パソコンに向って、こうやってメールを打ってるのは、誰なんだろう。電源を切った黒い画面に映る、無精ひげの痩せた男、こいつは一体誰なんだ。そうやって自分を見失うと、僕はまったく寛いだ気分になり、堂々と椅子に座っていられた。

僕は大体、一〇〇人くらいの女の人になった。

髪の長い人、目が大きな人、左利きの人、胸の大きな人。色んな年齢の、色んな趣味の、色んな容姿の女の人。僕はいちいち全ての女の人の特徴を把握していたし、返信メールにぬかりは無かった。何せ自分の無い男だ。メールを打っているときは、その女の人になりきって、全く破綻《はたん》が無かった。

でもある日、気付いた。

一〇〇人もの女の人。美人、ぽっちゃり型、やせた人、気の強い人、すぐ泣く人、大阪の人、一人娘、帰国子女。

誰もが、退屈していた。

ここではないどこかへ行きたがって、そのくせ動き出すのが怖くて仕方がない、それは、そんな絶望的な退屈だった。そしていつしか、それは僕自身だと気付いた。

恐ろしいほど、空虚だった。

そして、東京に行こうと思った。何故東京だったのか分らない。ただ、ここよりも人がたくさんいる場所に行きたかった。馬鹿みたいにたくさんの人達の中で、ひとりぼっちになりたかった。未来なんて何も考えなかったけれど、唐突に、切実に、こう思った。

「ひとりで暮らしたい。」

こうして長谷川家は、完璧な女系一家になった。

かつてその美しさで、皆の注目を一身に集めた母さん。その体は美しい川のようだったけど、いつしかそれは増水し、溢れ、そして誰にも止められなくなった。アルコールと名の付くものは、全て飲みつくした。ごくごくと喉を鳴らして飲んで、そして飲みきった後は、自分のやったことに驚いているみたいに目を丸くして、そして、また次のビンに手を伸ばした。川はどんどん溢れて、いつしか僕らの方にまで流れてきた。僕らは母さんの川を上手に泳ぐことが出来なくて、ただその奔流に飲まれた。

いつだって雨を味方につけるミキ。つきっきりで育てられた白いアスパラガスのような脚、水に浸かっているのが誰より一番似合う、その美しい体は、とうとう、誰にも抱きしめられることが無かった。おかしくなってしまうほど、愛しさで目がつぶれてしまうほどに恋をした男の子は、自分の兄だった。ミキは兄ちゃんが事故に遭って、あんな体になったとき

「嬉しかった。」

と言った。

「他の女の人がおらんくなるやろ。」

それは全く、いびつな恋だった。あんまりいびつすぎて、もしかしたらそれが真実なのではないかと思わせるような、悲しい恋だった。ミキはちっとも泣かなかったけど、その体はいつも涙で溢れているみたいに頼りなかった。

そして、ああ、サクラ！　僕らの勇気ある、賢い、女の子。あんなに饒舌《じょうぜつ》に、陽気に、それで

いて遠慮がちに、僕らに話しかけたサクラ。僕らはサクラが話すのを聞いて、世界がどんなに愛に溢れているかを知ったし、無駄なものはひとつも無いのだということを知った。僕らにはごく自然にサクラの話す声が聞こえたし、サクラも僕らの言うことに、いちいち耳をかたむけた。あの、ぶどうみたいなぶちのある、小さな耳。

引越しのトラックが、母さんを、ミキを、サクラを、どんどん引き離して行った。バックミラーに映るそれらは、馬鹿みたいで、厄介で、でも、僕にとって光だった。眩しすぎて、しっかり見ることが出来ない、虹色の光だった。僕は瞼に差し込む光を感じながら。次に生まれてくるときは、絶対に女の人になりたいと、そう願ったのだ。

トラックはスピードをあげ、角を曲がる。曲がるときちらりと、母さんが手をふるのが見えたけど、そのときには僕はあんまり泣きすぎて、助手席につっぷしてしまった。

おわりの章

猫の交尾

サクラの散歩から戻ると、ミキが庭でぼんやりと座っていた。僕とサクラに気付くと、ちょっと不思議そうな顔をして、そしてサクラを抱きしめに歩いてくる。

夢を見ているような気分だった。

ミキの短い髪の毛はふわふわと揺れていて、それは生まれたばかりのときのミキみたいだった。あのときミキの髪は、作りたてのアイスクリームみたいに、ちょっと温かい、甘い匂いがした。僕はその髪の匂いをうんと嗅いで、妹が出来た喜びにうっとりしたんだ。

「サクラァ。」

ミキは馬鹿みたいにそう言って、サクラの体をごしごしと撫でる。サクラはもう随分長い間体を洗ってもらっていないので、そうやって撫でられると、気持ちよさに体をぶるぶる震わせる。サクラの体は何か分らない虫やばい菌でいっぱいなのに、ミキはそんなことお構いなしでその尻尾を嚙んだり、お腹に顔を埋めたりする。

「でんわ。」

サクラのお腹に顔を埋めたまま、ミキはくぐもった声でそう言う。

「え？」

「電話、鳴ってたで。」

顔を上げたミキの頬には、サクラの頼りないお腹の毛がたくさんくっついている。ミキがそれをまったく払おうとしないので、仕方なく僕が一本一本取ってやる。

「僕の？」

そのとき、リビングから聞きなれた着信音が聞こえた。

タッチの差で着信音はやんだ。僕が携帯を開くと、そこには彼女の名前があった。携帯を閉じて、また庭に出ようとした僕を、また着信音がはばんだ。面倒くさかったけど、出なかったらまた面倒くさいことになるので、しぶしぶ『通話』を押す。

「もしもし。」

「あ、薫君、どうしたの？　びっくりしたよ！」

彼女の声は、きいきいと甲高い。彼女にとって、こうやって「びっくり」することが、この世にはたくさんあるみたいだ。いつもいつも
「びっくりしたよ！」

そう言って僕の腕を引っ張る。

「何が？」

「さっき出た女の子、誰?」

「え?」

「さっきかけたら、女の子出たのよ! あたしびっくりして、間違えたかと思ったじゃない! 誰よ?」

そんなことするのは、ミキ以外考えられない。

「いもうと。」

「え? 妹? 薫君、妹いたの?」

「うん。」

「えー、知らなかった! あたし、すごいむかついた声で話しちゃった! だって、なんか、」

「何?」

「なんか、すごい怒ってるみたいだったのよ、その子。」

「なんで。」

「はい、て出てから、しばらく黙って、それからあたしが聞いてることに、なんにも答えないの。それで、それで、なんて言ったと思う?」

「なんて?」

「変な声、て。あたしのこと、変な声って言ったのよ!」

笑い出しそうになってしまった。変な声、か。確かにミキが言いそうなことだ。

「ねえ、あたし、変な声？」

そうだね、そう言いたかったけど、彼女の声にはどこかこちらに甘えるような響きがあって、それは僕に
「あたしのこと嫌い？」

そう聞いて、

「ううん、好きだよ。」

と言わせるときのそれだった。そんなことないよ、可愛い声だよ。そうゆう台詞を期待してるんだろうことが、受話器からひしひしと伝わってきて、それで僕は聞こえないふりをした。

「ん、ごめん。よく聞こえなかった。」

「……もう、いい。」

彼女はそれから、いつ帰るのか、どんな風に過ごしているのか、同級生（特に女の子）に会ったのか、そうゆうことを事細かに聞いて（「大阪弁で話して！」なんてことも言った）、そして自分の近況をさんざん話してから、やっと電話を切った。電話を切ってから、僕はぐったりとしてしまった。

ふと見ると、ミキが当たり前のようにサクラを連れて、リビングに入ってきた。

「ミキ、電話出たやろ？」

「ん。」

「僕の携帯。」

「着信音、トップオブザワールドやな。」

「そうや。」

「とっぷおぶざわーるど。」

「ミキ。」

「ん。」

「僕の彼女やねん。」

「ん。」

「変な声やった？」

「うん。」

「どんな？」

「猫が交尾してるみたい。」

噴き出しそうになった。確かに彼女のそれは、春先猫が通りで上げる、あのやかましい声に似ていた。

「ネコガクウリ!?　何それ！」

頬を真っ赤にした母さんが、部屋に飛び込んできた。後ろには、すっかり風景に馴染んでいる父さんが、少し疲れた様子で立っている。

ミキがもう一度、「猫が交尾。」と言おうとすると、母さんがそれに負けない大きな声で
「お墓参り、行きまっせー！」
と言った。

僕の家の大きなバンは、父さんが家を出てから黄色いナンバープレートの小さな車に変わった。母さんは、この車では明らかに重量オーバー、しかも今日は助手席にミキ、後ろの席に僕と父さんが乗っているから、ちょっと目の悪い警察官なんかに止められそうだ。

「はい、定員オーバー！」

父さんはじいっと目をつむって、座席に体を預けていた。そこには黄色いチェックの布カバーがしてあって、そこに茶色いコートを着た父さんが座っているから、黄色と茶のコントラストが向日葵みたいだ。母さんに無理やり持たされた両手いっぱいの花に、少し顔を埋めるようにしている。白や黄色や紫の花に囲まれて目をつむっている父さんは死んだ兄ちゃんを思い出させて、僕は目を伏せた。

棺の中の兄ちゃんを思い出すとき、そこにはいつもハンサムな兄ちゃんがいる。たくさんの花は、ひんやりしていて、その体をほとんど水に頼っていて、それで、とても綺麗だったけど、真ん中で横たわる兄ちゃんの顔は、紫色に腫れ上がって、変な風に口が開いて、何かつぶれた果物のようだった。それでも棺の中の兄ちゃんを思い出すとき、僕の頭にはいつも、

ハンサムな兄ちゃんが目をつむっている様が浮かぶのだ。目をつむると少し影が出来た瞼、チベットの山のように規則正しく隆起した鼻、笑うと白い歯がこぼれそうになった口。

お葬式で、僕はちっとも泣かなかった。

「ミキ、お線香持った？」

「持ったよ。」

「薫は？」

「え？」

「何持った？」

「何も持ってないよ。」

「そっか！」

母さんは大声でそう言って、アクセルを思い切り踏む。がくん、と急に動き出した車の動きに驚いて、父さんは目を開ける。目を開いたその顔が、ますます兄ちゃんに似てるので、僕はもう、父さんの方を見ないようにする。

定員オーバーで捕まることは無いにせよ、明らかにスピード違反をして走る僕らの車は、今はもうすっかり壊されて新しい家が建てられた公園や、僕が湯川さんと会った市民会館の前を通り過ぎる。それはもう、恐ろしいくらいのスピードで。

母さんはハンドルを持つというより、かじりついている感じ、助手席のミキはシートベルトなんかしないで、餃子に包みそこなったジェリービーンズを食べている。ぽちぽちと小さいものばかり食べていて、ミキはまったく、リスみたいだ。

カラス

兄ちゃんの墓は、いつも母さんが掃除している。

冬の光を浴びて、磨かれた灰色の石がきらきらと光っていた。それは白っぽい空と共に、小さな頃、婆ちゃんの葬式で兄弟三人、斎場隣の墓地をうろついたことを思い出させる。

空に昇って行くばあちゃんの煙を見ながら、僕らは墓の間をぶらぶらと歩いた。お供えの饅頭やバナナをいちいち取ろうとするミキの、その手を引っ張って、僕は先を立って歩いて行く兄ちゃんの背中を見ていた。墓地は迷路のように細い道でいっぱいで、よちよち歩きのミキを連れた僕は、早歩きで急に曲がったりする兄ちゃんについて行くのに必死だった。兄ちゃんは少し拗《す》ねた顔で出鱈目にくねくねと道を歩いていて、自ら迷路に迷い込もうとしてるみたいに、墓地の奥に分け入って行った。

僕が兄ちゃんを追うのを諦めかけたそのとき、兄ちゃんが立ち止まった。

「あ。」

何を見つけたのかと、僕らが慌てて兄ちゃんの所へ駆け寄ると、兄ちゃんは、何の変哲も無い墓石をぼうっと見ていた。つい最近供えられたばかりだろう、黄色い菊がつやつやと光っていて、燃え落ちたばかりの線香が、こちらに匂いたってくるようだった。兄ちゃんの視線の先を辿ると、そこには、

「長谷川家之墓」

と書かれてあった。その頃の僕は「之」を平仮名の「え」と勘違いしてしまったけど、僕らと同じ名前の人のお墓なのだということは分かった。兄ちゃんは何を言うでも無く、じいっと墓を見つめていた。その後僕らがどうしたのか、そこで何か話したのか、そのままミキを連れて斎場に帰ったのか、僕はちっとも覚えていないけど、白い光に照らされたそれは、僕らを不安な気持ちにさせた。


「長谷川家之墓」

母さんは早速バケツにいっぱい水を汲んできて、寒いのにじゃぶじゃぶと雑巾を搾り出した。ミキは昔みたいに好き勝手をしなくなったけど、どうも墓参りはつまらないらしく、せっせと墓石を拭きだした母さんをちらりと見て、また全然違う方を見ている。父さんは僕らから少し離れたところに立って、気分を落ち着かせようとしているのか、煙草を吸っている。紫の煙が出てい

るから、随分きつい煙草なんだと思ったけど、よく見るとそれはさっき僕が父さんにあげたメンソールで、僕の目が少しおかしな具合になっていただけだった。

「さあ！　皆で手ぇあわせましょう！」

母さんはどしんと腰を降ろして、小さめのグローブみたいな手を合わせた。

「一、今日は皆で来ました。」

母さんは食べる量が過剰になってから、日常の些細なことにも過剰になった。線香だって五〇本くらい一気に火をつけるから、「ささやかな香り」は、辺りをその匂いでいっぱいにした。

「一、今日は、皆で来ましたよ。」

母さんはもう一度そう言って、それから鼻をすんと鳴らした。

昔母さんが泣くと、僕らは帰るべき巣の場所を忘れた雛鳥《ひなどり》みたいに、どきどきと落ち着きを無くした。いつもいつも笑って、そしてその笑いが周りの人皆に伝染していくような母さんの笑顔が、一度でも涙で彩られると、僕らはその水分をどうやって消し去ろうか、頭をフル回転させて考えた。母さんがもう一度笑ってくれるために、母さんの好きな本を持って来たり、学校で覚えた面白い話を聞かせたり、普段使わない筋肉を使う陸上選手みたいに、僕らは必死になって母さんの側にいた。結局母さんは、やっぱりあの柔らかな笑顔でにっこりと笑ってくれるのだけど、僕らが、母さんはどれで笑ってくれたの？　いつもどうやったら泣き止んでくれるの？　そんな風に聞くと、決まってこう言ったのだ。

「あんたらが三人揃ってたら、それだけで笑えんのよ。」

思いがけず早い時期に「長谷川家之墓」に、一番上の男の子が入ってしまった。母さんはすん、と鼻を鳴らした後、それはそれは自然に泣き出した。嗚咽《おえつ》することも、声を張り上げることも無い。ただ、だらだらと目玉から涙を流し続けるそのやり方は、いつかの夜ミキが僕に見せたものだった。長谷川家の女の人は、本当に悲しいとき、体中の水分が飽和量に達するみたいだ。母さんの膝はあっという間に水浸しになってしまった。

カア、と、馬鹿みたいなカラスの鳴き声が聞こえる。その濡れた体はサクラのぶちより黒くて、時々猫がするみたいに喉を震わせている。

「長谷川家之墓」

兄ちゃんは、なんにも言わない。毎日飽きるほどセックスをして、それでも足りないという風に僕らに笑いかけたあの兄ちゃんは、今では冷たくて固い石の下で、じっと息を殺している。

ミキが熱心に、カラスに向って石を投げ出した。人の墓に敷かれている小石、つやつやと光るそれを丁寧に選んで、ミキはまぶしそうに空を見上げる。ミキの投げた石はおかしな弧を描いて、誰かまた知らない人の墓に落ちる。

カツン！

カツン！

僕は正確に七つ、石が墓にぶつかる音を数えてから、母さんの隣にしゃがんだ。母さんの膝はあんまり濡れすぎて、太古の世界に存在した謎《なぞ》の大陸みたいにしみが広がっている。あんまり母さんが泣いているから、僕はその肩を抱こうとしたのだけど、あまりに大きなその肩は、僕の手に負えそうもない。それで僕は諦めて手を合わせる。思えば父さんも、そんな気持ちだったのかもしれない。母さんの体は、あらゆる悲しみではちきれそうになっていて、もう、父さんの手で全て受け止めることが出来なくなった。あんなに華奢だった腰、滑らかだった肩は、父さんの手をすり抜けて、どこか遠い世界まで広がっていったのだ。

目をつむっていると、新しい煙の匂いがした。父さんが隣にしゃがんでいる。

「くっ。」

というくぐもった声がしたから、父さんが笑ってるのかと思ったけど、そちらから流れてくる風がほんのちょっぴり震えていたから、僕は目をつむったままでいた。

「一。」

風に揺れて、その声は誰の声か分らない。

そういえば、あんなにコントロールが良かったミキの投げた石は、カラスにかすりもしなかった。

カツン！

悪送球

「サクラが。」

ミキがそう言って部屋に飛び込んできたのは、年越しまであと四時間を切った頃だった。

母さんがフライング気味に正月用の餃子を焼きだした頃だ。家に帰った母さんは、

「いやあ、疲れたわあ！」

と、また大量の甘いものを摂取しだし、それは延々二時間ほど続いた。

ミキが部屋に飛び込んできたとき、そこらは餃子の焼けるいい匂いで充満していて、僕らの服に染み付いていた「ささやかな香り」が、どこかへ退散しようとしていた。

「サクラが。」

ミキの顔はまだ早めのプールから上がったばかりの子供みたいに真っ青で、唇などは夜の紫陽花くらい紫だった。そしてそう言った後は、そのまま入り口にへたり込んでしまった。

サクラは犬小屋に半分体を突っ込んで、ぎゅうっと目をつむっていた。不自然なその姿勢に、僕はすぐにサクラに何かあったのだということが分かった。でもその体には、いくら触ってもこ

びりついた血や変な瘤《こぶ》なんかが無かったから、きっと彼女の体は内側から悪意ある何かに侵されているのだと思った。

サクラは、浅い浅い呼吸をしていた。でもそれも、手で捕まえることが出来る秋口の蚊のように頼りなくて、誰かがくしゃみなんかしたら消えてしまいそうだった。

ミキが熱心に体を撫でてやっても、サクラは尻尾もふらない。あんなに大安売りしてぶんぶん振っていたのに、こうやってぴくりとも動かないそれを見ていると、サクラは昔から尻尾なんて振ったことなくて、そしてそれは尻尾なんかじゃなくてもっと高級な、出し惜しみすべき何かだったような気がしてきた。

「サクラ、サクラ。」

こうやってぐったりとしたサクラを見ていると、さっきのカラスが急に不吉なものとして、僕の頭に浮かんできていた。どうしてミキはあの小石を、奴にぶつけることが出来なかったんだ、そんな風に思った。ミキがあのカラスをやっつけることが出来たなら、サクラはこんな風に消えそうな呼吸をして、犬小屋の入り口に倒れていないような気がした。

ミキは、ずうっとサクラの体を撫で続けている。その目はまだ涙を失ったままだったけど、やっぱりミキの体からはたくさんの涙の匂いがしてきて、そしてその綺麗な肩が震えているのが分かった。

「サクラ、サクラ。」

ミキを押しのけるようにして、母さんがそのたくましい腕にサクラを抱いた。抱き上げるときサクラは、

「ぐっ。」

と変な声を出すから、ミキが怯えて大きく息を吸った。

空には大晦日らしい綺麗な月と、そのまわりを大急ぎで輝いている星が一年の最後を僕らに知らせていた。その光があんまりまっすぐ僕らのところに届くから、僕は今がいつなのか分からなくなった。

「病院に行こう。」

父さんがそう言った。

「病院てどこの？」

母さんが、低い声で聞き返した。その声は僕らが聞いたことが無い、悪意と怒りに満ちたものだった。母さんは振り返りもせずにそう言ったけど、その背中には、父さんへの怒りや悲しみが、今初めて、はっきりと映し出されていた。

「あの、サクラ診《み》てもうたとこや。」

「あっこ、医者変態でつぶれたんや、そんなことも知らんの？」

その声は脂肪に押しつぶされていたけど、そのときの母さんは、昔の細かった母さんのように、喉の奥からスムーズに、はっきりと音を出した。それだけ母さんは、怒りに震えていた。母さん

が、これだけ怒っているのを見るのは初めてだった。

「知らん。」

「なんで知らんの？　なんで知らんのよ！」

母さんはサクラを抱きしめた。そしてさっき、兄ちゃんの墓で散々流したのに、また大量の涙を溢れさせた。

「なんで、なんで？」

母さんの顔は鼻水と涙でぐちゃぐちゃで、随分醜かった。醜さが過ぎて、不思議な神々しさがあった。母さんの悲しみは、空を、空気を、変な色に染め始めた。

「そんときはまだ、家から逃げてへんかったでしょうが！」

僕はそのとき、恐ろしいほどはっきりと、母さんの父さんへの恋心を思った。母さんが父さんに怒鳴った言葉、その憎しみがこめられたひとつひとつが、父さんへの、苦しいくらいの恋の結晶だと思った。母さんの体は、悲しみや、理不尽なものへの怒りで大きくなったのではなくて、ただ、恋する人を思うその気持ちで、どんどん膨れ上がっていたのだ。

「家から、逃げて……っ、あたし、どんなにぃ……。」

母さんは、今やもう、サクラを見ているのでは無かった。兄ちゃんが事故に遭ってから、そして自ら死んでしまった日から今日までの、失われた時間を見つめていた。

僕らには、もうひとつの幸せな時間があるはずだった。兄ちゃんが事故に遭わず、命を絶たなかったもうひとつの世界。そこでは、兄ちゃんはどこかの大学でサッカー選手として相変わらずの人気を博している。時々家に帰ってきては、僕らを散々笑わせ、安心させ、そして僕らは安らいだ眠りにつく。母さんの腰は華奢な陶器のままで、父さんは時々恋人にするみたいにその髪を撫でる。サクラを大きな声でミキが呼んで、女の子同士いつまでもふたりでお喋りをしている。そして夏がやってきたら、家族でまた記念写真を撮るのだ。

僕らの尊い、失われた時間。

もうひとつの世界の僕らは、いつまでも笑って、馬鹿みたいに幸せで、どこまでも屈託が無かった。でも僕らは、「こちらの世界」の僕らは、動かないサクラを取り囲んで、涙にくれている。巨漢の母さんは、今まさにギブアップをするところだった。母さんは、その大きな体を震わせて、今まで一度も、たった一度だって言ったことの無かった台詞を口にする。

「なんで、こんなひどい。」

ああ神様はまた、僕らに悪送球をしかけてきた。

月が、薄いサーモンピンクに輝いていた。月の周りだけぼんやり明るくて、それは夕焼けのオレンジみたいな色で、それで僕はまた、明日は雨になるだろうと思った。ミキの方を見たけど、いつだって雨を予感していた女の子は、サクラの側に座り込んで、いつまでも体を撫でていた。

地球に大きな危機が訪れて、世界中の人が逃げまどっていても、ミキはきっとここに座って、ずうっとサクラを撫で続けているだろう。愛する人を失ったミキにとって、そして母さんにとって、サクラは幸せの象徴だった。いつだって笑っていた僕らの、きらきらと輝いていた長谷川家の、その幸福の象徴だった。家族がひとり欠けて、ぎこちなくなった僕らに、サクラは少しばかりでも、変わらない安心を与えてくれた。サクラの暖かな体に触れると、僕はあの夏の日、ミキと一緒にサクラを連れて帰った、泣きそうなくらい幸福な瞬間を思い出した。

サクラは、家族皆の思い出をいちいち背負っていた。毎日毎日、ちぎれそうなくらい尻尾を振って、全力で欠伸をして、心配そうに窓から僕らを覗いた。恥ずかしそうにおしっこをして、幸せの唸り声をあげて、黒いぶちを揺らして歩いた。そのどれもが、僕らの「幸福」だった。サクラがそこにいる限り、僕らは悲しみに目をつむり、恐ろしいくらいの孤独をしかとし、少し無理をしていたけど、それでも「おはよう」と挨拶をした。

今僕らの幸せは、サクラは、どこかから空気の抜けたような息をして、尻尾を死んだ鼠みたいにこわばらせている。サクラはもう、助からないだろうと思った。

月が、ゆっくりと移動を始めて、周りのオレンジをグレーがかった青に変える。冷たい風が僕らの指をちぎろうとして、悪意ある渦を巻く。

ああ神様はまた、僕らに悪送球をしかけてきた。

「病院に行こう。」

そのとき父さんが、もう一度はっきりと口にした。

母さんは愕然とした表情で父さんを見上げ、抗議をするようにこう言った。

「あんた、あたしの話聞いてなかったん？　あっこはつぶれた言うたやろう。」

僕は小さな頃、両親の喧嘩をドアの隙間から見ていたときのように、どきどきしてふたりのやり取りを聞いていた。いつだって、喧嘩をしたら父さんが折れていた。母さんが思いのたけをぶつけるべく、身振り手振りを使って散々わめくその様を、父さんはいつもじいっと見ていた。そして大概、母さんの手を取ってこう言った。

「悪かった。」

母さんは父さんのその潔い一言で、いつも自分が少し言い過ぎたことに気付く。そして父さんにいいようのない愛情を感じて、恥ずかしそうに拗ねたふりをしたものだ。

でも、今夜の父さんは、決して折れなかった。僕らに見せたことの無い、厳しい男の顔で、

「どっか探すんや。」

と言った。母さんがまた抗議の声をあげようとすると、今度はゆっくり
「探そう。」

と言った。父さんの言葉は、どこか遠くから聞こえてくる汽笛みたいに低くて、僕らに有無を言わせない迫力があった。それで母さんは、涙を頬に張り付かせたまま黙り込んでしまった。父

さんは昔僕ら兄弟を同時に抱き上げたそのやり方で、母さんの腕を思い切り上に引っ張った。ふいをつかれた母さんはよろけて、驚いて父さんを見たけど、そのときには父さんは、家に車の鍵を取りに行っていた。

キャッチャー

父さんは、初めて運転する軽自動車にとまどっていた。座席に座る姿は、ぎゅうぎゅう詰めといった感じの母さんと違って、なかなか様になっていたけど、鍵を差したりバックミラーをいい具合にしたり、そうゆうことに手間取っていた。

昔僕らが乗っていた中古のバンは、たまに駄々をこねてうんともすんともいわなくなった。信号待ちのときにエンジンが止まるなんてゆうのはザラで、そのエンジンだって、四、五回試みてやっとかかるというものだった。それでも父さんは、可愛い女の子を口説くみたいにそいつをなだめて、どこまでだって走らせることが出来た。

今父さんは、新しい自動車が、一回でエンジンがかかったことに驚きを見せて、

「おう！」

そして今度はアクセルの軽さに驚いた。父さんが踏み込んだ車は、びっくりするくらいのスピードでガレージから飛び出し、あやうく大西さんの家の壁に激突するところだった。

「お父さん!!」

大声で母さんが叫んで、ミキがサクラを抱きしめたまま、

「うるさい!」

と言った。

「大きい声出さんといて!」

助手席の僕は、どきどきして声が出せずにいた。女ふたりのあまりの剣幕に、謝る機会を逃した父さんは、軽すぎるハンドルを操るのに四苦八苦していた。大西家の壁への激突は免れたものの、ふらふらと蛇行しながらスピードをあげる車は、警察じゃなくても止めたくなるだろう。

ふとサイドミラーを見ると、月が僕らの後をついてきた。さっきのオレンジは今では完璧に濃い藍《あい》色に姿を変え、自ら厳かな大晦日を演出していた。家々からは団欒《だんらん》の暖かい灯りが洩れてきて、聞こえもしないのに紅白歌合戦を見る誰かの姿が目に浮かんだ。

道には一台も車が走っていなかった。兄ちゃんが乾電池を買いに行ったコンビニを通り過ぎるとき、ビニール袋を提げて自転車に乗ろうとしている高校生くらいの男の子が見えた。看板の青い光に照らされて、ミキの膝に頭を埋めるサクラは、まったく病気の女の子みたいだ、小さく小さく丸まっている。瞬きが多いのは、自動車に乗ったときのサクラのくせだけど、今はそれもし

ない。ただただ、諦めたみたいに時々足をぴくりと震わせる。

妖怪の病院は何度か色んな店舗に生まれ変わって、それから今は、中途半端にお洒落な美容室になっていた。ものすごいブロンドの綺麗なモデルが、ヘンチクリンな頭をしてこちらに笑いかけている。もし今夜の月に顔がついていたら、きっとこうゆう顔なんだろう、ちょっと馬鹿にしたような、突き放した感じの笑顔だ。

「残念でした！」

そんな風に笑われている気がして、腹が立った。

サクラはその頃には
「げふっぐふっ。」

と変なげっぷを始めて、ミキをパニックに陥れた。

「サクラ、」

ミキはサクラの上に、顔を埋めて丸くなってしまった。こんな狭い軽なのに、広くて広くて、それが怖くて仕方が無いという感じだ。それはミキの言う、兄ちゃんの平仮名みたいだ。

「ノートの白が寒くて、丸まってる。」

そんな風に言って、それから、延々と手紙を読み出したミキ。あのときのミキは、恐ろしいくらい綺麗だった。ミキはまだ、あのときの手紙を覚えているのだろうか。自分が書いたみたいに、句読点まで一字一句違わず、延々と読み続けたあの手紙を。

「サクラ、サクラ。」

今ミキは、あのときと同じ、消え入りそうな声で、サクラを呼び続けている。まるでそうしていないと体の機能が全て止まってしまうみたいに。

「サクラ。」

僕はどこまでも追いかけてくる月がうっとうしくて、空をにらんだ。窓を開けると冷たい風が滑り込むように入って来て、僕らの頬を交互に冷やす。

「あんた、どこ行くつもりなん？」

冷たい風にコンタクトをやられて、左目をつむりながら母さんが言う。

「もう、病院無いやろ？」

「二号線をまっすぐ行って、七号線の高架を右に曲がって二〇キロほど行ったところに一軒ある。」

父さんは、まっすぐ前を見たままそう言った。信号が黄色から赤に変わるまさにその瞬間だったけど、父さんは構わずアクセルを踏んだ。

「え？」

「あるんや。」

父さんは確固たる、という風にそう言うと、後は僕らに質問する隙を与えなかった。

大晦日の二号線は、車もまばらだった。僕らの車は車線の上を走ったり信号無視をしたり、それはもう、葬式のときのミキみたいに好き勝手をした。七号線の高架を右に曲がってしばらく走ったとき、本当に「どうぶつびょういん」の看板が見えた。

僕は期待と緊張で手に汗をかいていた。父さんが何故この病院を知っていたのか分らないけど、その看板は僕らを感嘆させ、運転席の父さんは少し興奮していた。

父さんはハンドルにかじりつくようにしてアクセルをふかしたけど、病院の電気が全て消えているのを確かめる間もなく、今度は大きくUターンした。ふいのUターンでつんのめったり倒れたり、僕らは大変なことになって、サクラをかばったミキが窓に頭をぶつけた。その弾みにサクラが
「げぷっ。」

と、また不吉なげっぷをした。

「お父さん！」

母さんがまた、抗議の声をあげた。でも父さんは、そんなこと聞いていなかった。

「エース予備校の前の道を中央病院側に行って、ホームセンターの五叉路《ごさろ》を池よりに入って行ったところにも一軒ある。」

ふいをつかれた月が、慌てて僕らについてきた。

父さんの頭は今、フルスピードで活動を開始していた。体全ての細胞や、血や、力を、砂糖を必要としないで脳みそに送り続けた。

父さんは、今まで頭の中に溜め込んでいた日本中の道路を全て吐き出すみたいに、次から次へと僕の家の近辺、そして少し離れたところ、ずうっと遠いところにある動物病院までの道を言い続けた。そして、僕らを励ますかのように、たまにその道に忘れられたように昔の丸いポストがあることや、ずうっと昔の選挙ポスターが貼られていること、全然日の当たらない路地の様子なんかもこと細かく話し続けた。父さんは管制室でトラックに指示を出していただけとは思えないほど、あらゆる道の、あらゆる特徴を覚えていた。

「病院なんか、なんぼでもある。」

父さんはそう言って、僕に地図を渡した。ポケットに詰め込まれていたそれは、しわくちゃで、汚くて、随分古かった。震える手で僕がページをめくると、そこは真っ黒だった。もはや地図の機能なんて果たしていないそれは、ありとあらゆる道が、黒い鉛筆で塗りつぶされていた。

「真っ黒や。」

呟いた僕に、父さんは恥ずかしそうに
「走った道を、全部塗ったんや。」

と言った。

日本中の道をナビしていた男は、今度はその道を、自分で走った。ラジオからは地方地方の番組が流れて、寒かったり暑かったり、色んな空の下で夜を過ごした。しばらく気に入った土地で仕事をしたけど、それでもまた、やっぱり走り出した。ハンドルを握る欲求を、抑えることが出来なかった。走り出さずにおれなかった。助手席に汚いボストンバッグと、そして後部座席に、あの赤いランドセル。

父さんの地図は、真っ黒だった。そしてその黒は、僕らの家の近くで、その濃さを増した。父さんは、何度も何度も、僕らの家のまわりに来ていたんだ。僕は、父さんを見た。

「病院なんて、なんぼでもある。」

父さんは誇らしげにもう一度そう言った。でも僕は、病院の位置なんて、確認出来なかった。母さんは、何も言わなかった。ただ黙って、父さんが軽すぎるハンドルを操る様を、じっと見ていた。それは深夜台所で大きなビンに手を伸ばす、うっとりとしたあの表情では無くて、そう、たぶん、中華街でこの人と思い切り餃子を食べたいと思った、あの恋をした母さんの顔だった。


ああ僕らはまた、家族総出でサクラを病院に連れて行く。

それは忘れそうになっていたもの、「誰のものでもない花」や「ミキを見つめたフェラーリ」、「兄ちゃんと遠くまで飛ばしたおしっこ」や「母さんが出した母猫の声」、「湯川さんのピンク色の眼鏡」や「ゲンカンの平らな胸」、そんなものをびゅんびゅん窓の外に置いて行く。

父さんがあんまりたくさん話し続けるから、ミキはサクラを撫でるのをやめて父さんをじっと見た。そして小さな頃、母さんにセックスの素晴しさを熱心に聞いたあの目で、

「それと?」

と先をせがんだ。父さんは今まさに水を得た魚、タワシをもらったサクラのように僕らの注目を一身に浴びていた。僕らが先をせがむと、父さんはいくらでも答えたし、それはつきることがなかった。

僕らの驚異的な記憶力は、父さんから受け継いだのだ。恐るべきＤＮＡ！

「打たれへん。」

兄ちゃんの声が聞こえる。

「打たれへん。」

早回ししていたテープがゆっくりとその回転を元に戻すみたいに、僕の心が何かを分りかけていた。

父さんは狂ったみたいにハンドルを回して、次から次へと病院までの道を走り続ける。そのあまりの無茶な運転振り（ゴミバケツを蹴散らす、壁を削る）に、近所の人が警察に通報、居眠りしていた警察官達が、やれやれと重い腰を上げる。遠くにサイレンの音を聞いた母さんが、

「大晦日やゆうのに！」

と大きな声で言い、そうだ今日は大晦日だと思い出した僕が、

「サクラを連れて帰って、餃子を食べよう。」

と言う。サクラは餃子という言葉に少し反応したけど、またげっぷを繰り返す。

「ミキ、当たり餃子ちゃんと作ったか？」

分かってるのにそう聞いた僕の肩を、ミキはぎゅうっと掴んだ。

「作った。」

「そうか。」

「作った。」

ミキは僕の肩を離さない。

「ミキ。」

父さんが言った。そう、そのとき、父さんがこう言った。

「あのランドセルは、捨てたぞ。」

母さんが泣き出した。うえーん、うえーん、と、子供が泣くみたいに泣いた。優しいサクラが慌てて母さんの顔を舐めようとしたけど、あまりのスピードで走る車の遠心力で、サクラはミキの膝から動けずにいた。

「捨てた。」

振り返らなかったけど、ミキが泣いてるのが分かった。声をちっとも立てずに、また、目玉か

らダラダラと水分を流し続ける、あのやり方だ。ミキを産んだ母さんは、その隣で、ミキから生まれた小さな女の子みたいに、大声で泣き続ける。なんて賑やかな車内だ、なんてまっとうな涙だ。

「うち、」

ミキがそう言っても、母さんは泣き止まない。号泣ダイエットでも始めるつもりだろうか、僕らを涙で窒息死させるつもりだろうか、その声はイスラムの朝を始めるコーランのように高らかで、母さんの泣き声を聞いた別の家の人までも、警察に通報するほどだった。

「うちな、」

ミキの声は、揺れる車に合わせて震えている。

「うち、もし、もし好きな人出来たらな、」

ミキは、あふれ出す涙のように、今度は言葉を吐き出した。悲しさ、恋しさ、憎しみ、孤独感、妬み、小さな頃音を立てて僕らに伝えたそれを、ミキは今、言葉に乗せて吐き出す。

「好きやって、言う。迷わんと言う。あんな、好きやて言う。だってな、その人、いつまでおれるか分からんやろ？　いつまでおれるか分からん、な。好きやったら、好きって言う。そんで、その人もうちのこと好きやったらな、ありがとうって言ってな、それで、セックスする。セックス。お母さん言うとったやろ？　好きな人のおちんちんは、全然汚なないって、な？　うち、セックスいっぱいする。そんでな、うちの中の赤ちゃんの素とな、その人の赤ちゃんの素をひとつにする。な、そう言うとったやろ？　お母さん。あんときの声、すごい綺麗やってんで。聞いたこともないくらい、綺麗な声やってんで。夜中から降る雨より、波の音より、ずうっとずうっと綺麗やってんで。なぁ薫、うちら、お母さんの声聞いて寝たんやで。セックスの声聞いて寝たんや。赤ちゃんが出来るんや。赤ちゃんが出来る。うちな、赤ちゃんは男の子でも、女の子でもええねん。指無くても、耳聞こえへんでも、薫さんみたいに男か女か分からんでもええ。あんな、その子ぉにな、こう言うねん。生まれてきてくれてありがとう。な、お母さん、そう言うたんやで。セックスして、綺麗な声を出して、そんで次の日、うちにそう言うたんやで。生まれてきてくれて、ありがとう。うちも、言うねん。生まれてきてくれて、ありがとう。な？　その子がちょっと大きなったら、一緒に遊ぶ。一緒に平仮名覚えてな、なんで空は青いの？とかな、そんなんちっちゃい子聞くやろ？　ほんだらな、一緒に考える。なんで青いんやろうなぁ？て、一緒にずうっと空見てな、それで、困ったなぁって。その子はいつか自分で、なんで空が青いか分かるような大きいんやろうなぁ、困ったなぁ言うて、ちょっと泣いたりすんねん。なんでこんになる。それでな、好きな人が出来るやろ？　出来たらな、好きって言いなさいって言う。その人は、どっか行ってしまうかもしれへんよ、早く、早く、好きって言いなさい。お兄ちゃんみたいにな、扇風機とか、お皿投げてきても大丈夫や、うちはちゃんとよけれる。旦那さんに当たったらな、その子のことどついてな、うちの好きな人に何すんの！て言う。うちはこの人のこと大好きで、大好きで、セックスいっぱいして、それであんた生まれたんよ！　そうや、お兄ちゃんは一回で出来たのん、ほんま？　なぁ、お兄ちゃんは、一回で出来たんや。あんな、いっつも笑ってて、それで、死んだ。死んだ。お兄ちゃん。お兄ちゃん、うちな、お兄ちゃん好きや。お兄ちゃん、お兄ちゃん。ああ、あんな、うちな、子供が大きなってな、孫が出来るか分からん、どんな大人になるか分からんけどな、どんなことがあっても、うちは、絶対、その子より先に死ぬ。絶対、先に死ぬ。それでな、死ぬときにな、言うねん。やっぱりな、生まれてきてくれて、ありがとう、てな。お母さん、お父さん。な？　お兄ちゃんは死んだけど、な、やっぱり思たやろ？　生まれてきてくれて、ありがとう。そう、思たやろ？」

どうだミキ、僕の記憶力もなかなかだろう。僕はミキが言ったこの言葉を、たった一度聞いただけなのに、ここまではっきり口にすることが出来る。

「生まれてきてくれて、ありがとう。」

母さんの泣き声は、今や空まで届きそうだった。それに拍車をかけるように、あろうことか父さんまで泣き出した。父さんの泣き声はきっと、病院で生まれてきたミキを見て、そして家で待っている僕らを思い出して、それで泣いた、あの日の泣き声だった。妊婦さんたちを涙ぐませ、生まれてきたばかりの赤ちゃんを微笑ませたあの泣き声で、父さんはこう言ったんだ。

「なんて美しくて、貴いことだ。」

ああ、僕らはまた、家族総出でサクラを病院に連れて行く！

運転席には狼の遠吠えみたいな声で泣き続ける、かつて宇宙で一番幸せだった男、後部座席には、馬鹿みたいに話し続ける、世界できっと二番目か三番目に美しい女の子と、数年のうちに誰もなし得なかったくらい太って、それでもやっぱり、眩しくてちゃんと見ることが出来ないほど美しい女の人（しかも、大号泣）、そして、僕らの家にやって来たその日から、そう、その尻尾についていた桃色の花びらくらい、甘く、淡く、暖かな何かを運んで来た女の子。サクラ、サクラ！ははは、兄ちゃん、しかも今日は大晦日、警察にまで追われてるんだ！

「打たれへん。」

声が聞こえる。兄ちゃんの声が、はっきり聞こえる。ああでも、違う。兄ちゃん、違うんだ。

「打たれへん。」

違うよ兄ちゃん。神様はいつだって、打てないボールなんて、投げてこなかった。
ボールを投げ続けていたのは、僕らだったんだ。
毎日毎日、泣いたり、笑ったり、怒ったり、恋をしたり、恋を失ってまた泣いたり、その度に、神様って奴に、これは何なんだ、どうゆうことだって、ボールを投げ続けてきたんだ。どうしてくれるんだ、何でこんなにひどいんだ！

でも奴は、その度に、僕らのボールを受け止めた。

どんな超スピードだって、悪送球だって、悔しいけれど全部、ばっちり受け止めた。

そして、こう言ったんだ。

「おいおい、全部、同じボールだよ！」

ああ僕らには、変わらない日常があった。


「恥ずかしいけれど、それが愛だよ。」


そのとき、ミキの膝の上でげっぷを続けていたサクラが、こう言った。

「ボール！　あの、軽やかな跳ね！」

そう、サクラが、またお喋りを始めた。

サクラ

サクラが、自転車の下で寝息を立てている。

太陽は、顔を洗って出直してきた運動部員みたいに、ちょっとした疲れを見せつつも、いやこれからなんだって出来るぞ、というガッツを見せている。キラキラと、少し大きすぎるそれは、僕らの出来たての影を地面に映す。

僕はサクラの肉球に見飽きて、家に入る。テーブルにはもう固くなった餃子がだらしなく寝転んでいて、僕はそれをひとつつまむ。がりっという音がして、口の中に桃の甘さが広がる。くそ、ジェリービーンズだ。

テレビでは、晴れ着を着た女子アナが、全国の正月の模様を紹介している。中継で呼ばれる度に、

「はーい！　こちらは○○です！」

と元気に手を振る。正月から、本当に働きものだ。

ミキは、サクラと同じように寝息を立てている。ソファから投げ出されたその足には、もうマニキュアは塗られていない。そうだ、苦手なことはやめてしまうべきだ。何にも塗らなくても、ミキの爪は綺麗なピンク色をしている。

餃子をもうひとつつまむと、今度はＭ＆Ｍ’ｓだ。腹が立ってミキを蹴ると、ミキは
「ふんがあ。」

なんて、恐ろしい鼾をたてはじめた。テレビを消そうとすると、それを止めるように、女子ア

ナがこう言った。

「あけましておめでとうございまぁす！」

昨晩の僕らは、全くどうかしていた。

ありとあらゆる動物病院に行き、

「開けてください！」

なんてシャッターを叩いたり、泣き叫んだり、なんとなく漫画みたいなこともしてみたけど、軒並みNGだった。僕らは人間の救急病院にまで行った（受付で、看護婦さんに鼻で笑われた）。

僕らは相当遠くまで走った。全然知らない街を夜中、しかも大晦日走るというのは、とても不思議な体験だった。まっすぐな道でスピードをあげると、そのまま空に浮いてしまいそうな、そしてそれを誰も知らずに日々が続きそうな、そんな気がした。一組の家族が深夜空へ消えたことなんて、些細なことなんだと思わせる何かが、深夜の道にはあった。

僕以外の三人は、ようやっと順番に泣き止んで、今度は気恥ずかしさからか、サクラの苦しみを紛らすためか、少し乱暴なお喋りを始めていた（例えば母さんは父さんのことを親しみをこめて「おまえ」と言ったし、ミキは僕に「これが薫やったら、こんなに頑張らへん」なんて言った）。

そんなとき、とうとう、警察のサイレンが近づいてきた。

「またや！」

母さんがそう言ったけど、そのサイレンは明らかに僕らを目指して近づいて来ていて、僕は今さらながら大晦日の騒がしいドライブを思い出した。

「はいそこの車止まりなさいー。」

マイクで心底だるそうにそう言われて、父さんは自分の無茶な運転も忘れてむかついていた。

「サクラがこんなときに、何やねん！」

ミキなんて久しぶりに臨戦態勢を取ったし、免許証の不携帯も忘れて、父さんは警察に食ってかかる気でいた。母さんは嘘泣きで乗り切ろうと、涙の準備を始めていた。

警察が無遠慮に懐中電灯で車の中を照らす。僕らは眩しいのと焦りとで、頭がクラクラした。サクラはぐったりとしていて、懐中電灯で照らされても、ぴくりとも動かなかった。でも父さんが
「何ですか？　病人がいるんです！」

と大声で怒鳴ったとき、

「げふっごぼほっ。」

と、今までに無いくらい大きなげっぷをした。

「病人？」

若い警察が、自分を見つめるミキの美しさに一瞬やられた。ミキはそいつをぶん殴るつもりで窓を開け始めて、父さんは父さんで、ミキがそれを成し遂げた瞬間走り出そうと、アクセルに足

をかけた。

そのとき、

「ぶふうっ。」

ものすごく大きなおならの音がした。

僕らはその音の大きさで、咄嗟に犯人を母さんと決め付けたけど、母さんが
「うわあっくっさー！」

と大声で言ったのと、車内どころかあたりに充満しだしたその匂いに、草の匂いが混じっているのに気付いて、後ろを振り返った。

そこにはサクラの緑色のうんこにまみれたミキと、恥ずかしそうに尻尾を振るサクラがいた。

「やだ、やっと出たわ！」

ミキ、「勇気あり」以来のうんこまみれだ。


父さんは、免許不携帯とスピード違反、交通規則違反と迷惑条例で免停になった。

僕はその日、人生二度目のパトカーに乗った。初めて乗った時、僕はそんなに興奮しなかった。運転を続けるおまわりさんが、とても大きくて怖かったし、窓の外を見慣れた景色が過ぎ去っているのに、このまま知らない場所につれて行かれるんじゃないかと思った。でもそのとき、隣には兄ちゃんがいた。僕の手をぎゅっと握って、その車内で二番目に小さいのに、何があっても僕

を守ってくれる、頼もしい兄ちゃんがいた。兄ちゃん。兄ちゃんは、もういない。僕の目をのぞきこんだ顔や、サッカーボールをけった脚は、どこか遠い所へ還って行ってしまった。僕は裏切られた気持ちになり、落胆し、何もかも投げ出した。兄ちゃんを憎み、恋しく思い、ときにはあわれんだ。でもそれも、今日で終わりだ。いや、キリがいいから昨日で終わりだ。一月一日。僕の隣には、ミキがいた。その隣には母さんがいて、僕の前には父さんがいる。そして父さんの膝の間に、サクラ。

「あ。」

ミキが眩しそうな顔をした。母さんは太い、でも綺麗な体をかがめこむようにして、窓の外を見た。父さんはきっと、目をつむってるんだろう。眠っているのじゃなく、湧き上がってくる何かを、じっと思っているのだろう。

「薫、見てみ。」

ミキ、分かっているよ。はは、僕だって分かってるって。僕らを一筋の光が照らした。いや、一筋なんてけちくさいもんじゃない、一度やって来たそれは、あとからあとからシャワーのように僕らに降り注ぎ、つきることが無かった。

「ご来光、ゆうやっちゃ。」

ついてないことに、記念すべき初日の出をどこかのいかれた家族と見ることになったおまわりさんは、少しスピードを下げた。

「新しい年が、始まんねやな。」
僕らは顔を見合わせたりしなかった。でも、サクラの尻尾がパタパタいう音で、長谷川家全員の顔が笑ってるのが分かった。
皆、結構似てるんだ。

庭で母さんがまた、土に肥料を混ぜている。大きなその影にぴたりとくっつくようにして、小さな、やせっぽちの影が映っている。昔は決してそんな失敗をしなかったのに、父さんのズボンはチャックが半分開いている。教えてやろうかなと思ったけど、母さんが歌いだした歌に、僕は驚いてしまった。

いーざーらー、
ざーあーふぁうえばー、
しんゆーびーおらう
よーらーぷっみー、
あーざーとっぽらわー

ラクダの歌だ！　あの、パラボラ猫と、紫のおばさん！

「母さん！」

僕は大慌てで庭に出た。裸足だったけど、そんなことお構いなしだった。僕のあまりの慌てぶりに、サクラも目を覚ました。自転車の下から、面倒くさそうに僕を見ている。

「ん？」

「その歌、何？」

「え？」

「さっき歌ってた歌。」

「ああ、よーらーぷっみー、あーざーとっぽらわぁ？」

「そう、そう、それ！」

「なんやの、えらい興奮して。」

「それ、母さんが歌っとったんや、僕。」

「へ？」

「紫のおばさんが、てっきり……。」

言いながら、自分でも恥ずかしくなってきた。あれはやっぱり、夢だったんだろうか。あの歌を歌ってたのは母さんで、僕はそれをただ、夢見心地で聴いていたんだ。

「何言うてんねん、薫。」

父さんが僕のことを不思議そうに見た。鼻頭のところに土がついていて、それは母さんとお揃いの場所で、全然違うのにふたりは双子みたいだった。

「それ、お前と一がよう歌っとった歌やろ？」

「え？」

「ほら、父さんと母さんがカーペンターズのレコードをかけたら、お前らがワケ分からんなりに、英語の真似して歌っとったんや。」

「……。」

「Is the love that I've found ever since you've been around.Your love's put me at the top of the world. な、これ。」

「いーざーらー、ざーあーふぁうえばー、しんゆーびーおらうよーらーぷっみー、あーざーとっぽらわー。」

父さんの結構素晴しい英語に、母さんがたたみかけるように歌った。

「よーらーぷっみー、あーざーとっぽらわー。」

そしてふたりはまた、熱心に土を混ぜだした。

僕は、長い間魔法をかけられていたおじいさんの気分だった。はは、あの歌は、僕と兄ちゃんが歌っていたんだ。

「よーらーぷっみー、あーざーとっぽらわー。」

そんなこと、ちっとも覚えていなかった。

眠りを妨げられたサクラが、僕の足元にやってきた。

「起こしときながら、しかと？」

おばあさんになって少し横柄になったサクラを、僕は思い切り抱きしめた。サクラからはまだ、あの緑のうんこの嫌な匂いがしたけど、僕はサクラの体の温かさを確かめるべく、じいっと心臓の音に耳を済ませた。いつかその音は、ぴたりと動きを止めてしまうのだろう。柔らかだったその体は、冬の木みたいに固くなって、そしてサクラは、どこかへ帰って行くんだろう。そのとき僕らは、きっと泣くだろう。

「サクラ。」

言葉に出すと、涙が出てきた。

僕らはなんて、賑やかな人生を歩んでるんだ。初めて見た太陽は、なんだってあんなに大きかったんだ。はは、まったく、泣けてくる。泣けてきて、そして、笑ってしまう。

「薫！」

ミキが、不機嫌そうにサッシを開けた。

「また鳴ってる。」

携帯の軽々しい着信音が、冬の庭に響く。母さんは
「あら。」

と、作業の手を止め、父さんはまた、結構流暢《りゅうちょう》なあの英語で歌いだす。

「Your love's put me at the top of the world.」

兄ちゃんがあんなに怖がっていた新しい年は、僕らが知らない間にあっさりとやってきた。ミキに好きな人が出来るのは、結構先の話だ。もう少ししたら薫さんから、男っぽい声でミキに電話があって、ミキは薫さんが本当に男になったことを知ることになる。

父さんにはサキフミさんから電話がかかってきて、新しい土地で新しい店を開いたという報告を受けるはずだ。母さんは笑い出す「懲りへんなぁ」。ふかふかのベッドでふたりがセックスすることは、恐らくもう無い。それでもふたりは、時々作業の手を止めて、お互いをちらちらと見ている。

僕には彼女からの着信と、それと、湯川さんから年賀状が届く。「あけましておめでとう」。僕はそんなこと知らず、まだずうっとサクラを抱きしめている。

サクラは僕に抱きしめられることに少し飽きている。尻尾を二、三回振るけど、また、夢見心地で空を見る。「早く、春が来ればいいなぁ。」

フェラーリは、思い出した「何か」を見つけに、どこかで旅をしている。それは恥ずかしいけど、きっと「誰かへの愛」だったりする。

長谷川家上空では、冷たさをものともせず勇ましく風が吹いている。その雲の合間に、木々の梢《こずえ》に、川の流れに、古いポストの横に、赤レンガの壁に、運動場の隅に、二号線の行く先に、美竹荘の二階に、世界中のあらゆる場所に、僕らのボールを、今か今かと待っている誰かがいる。どんな悪送球でも、ばっちり受け止めてしまう、大きくて暖かで、かけねの無い、何かがいる。

あなたの愛は、僕を世界の高みに連れて行ってくれる。

僕の携帯をさんざんいじるのに飽きて、ミキは庭に降りてくる。大きすぎるサンダルを履いて、寒そうに、でも嬉しそうにこう言う。

「サクラ！」

僕らの新しい年が始まる。

あとがき

わたしの家に、サニーという雑種がいます。この物語のさくらちゃんのモデルになった犬です。さくらちゃんみたいにぶちは無いし、長靴を履いてもいないけれど、黄土色の体は痩せていて、女の子とは程遠いみすぼらしい顔をしています。「サニー！」と呼ぶとうれしそうに尻尾を振って、でも、きまぐれに「ジョン！」と呼んでも少し尻尾を振るし、「うんこー」なんて言っても、こちらにこそこそやってきたりします。でもそんなときは、ちょっとふに落ちない顔をしていて、それがとても可愛いのです。後ろ足を持ち上げたり、鼻先を口の中にぱっくり入れたり、頭にハンカチを巻いたり、私が何をしても、ちょっとふに落ちない、困った顔で、それでも尻尾を振ります。サニーは今年で十五歳、とてもとてもおばあちゃんです。

この前久しぶりにお家に帰ったら、玄関に驚くほどやせっぽちになったサニーがいました。メニエール病の影響で首は曲がったまま、目も真っ白で、耳も聞こえません。でも、出し抜けに私が扉を開けると、立ち上がって、尻尾を振りました。私のことなんて、きっともう分かっていないだろうに、その尻尾を、ぱたぱたと振りました。くるんと丸まった、がしがしと硬い毛の生えた、サニーの尻尾。

私は、その尻尾を、見たかったんだなぁと思います。

困った顔でも、ふに落ちなくても、誰かが泣いていても、怒っていても、サニーは尻尾を振りました。少し息苦しい空気も、サニーが尻尾を振ると、その柔らかな風でどこかに飛んでいくような気がしました。お父さんも、お母さんも、お兄ちゃんも、サニーが尻尾を振ると、そのぱたぱたという音にじっと耳を済ませたし、その規則正しい動きを見て、皆で笑いました。サニーは今年で十五歳、とてもとてもおばあちゃんです。ねえ、サニー。


尻尾を振ろうと思います。突然だな、でも、そう、尻尾を振ろうと思う。

恋人の肩に触れたとき、眠っている誰かを見たとき、月が綺麗に半分に割れているとき、雲間から光が差したとき、久しぶりに友達に会ったとき、いただきますを言うとき、新しい靴を買ったとき、自転車で立ち漕ぎをするとき、お母さんに手紙を書くとき、皆が、笑ってるとき。

私は全力で、尻尾を振ろうと思う。

嬉しくて、幸せで、泣きそうで、そんなときは、ちぎれるくらい尻尾を振ろう。

辛くって、悲しくて、ひとりぼっちで、そんなときは、何度だって尻尾を振ろう。

ねえ、サニー！

「さくら」を読んでくれた人たち、お父さん、お母さん、お兄ちゃん、友達、恋人、（勇気ある）編集者石川さん、（勇気ある）営業マン新里さん、（勇気ある）宣伝マン庄野さん、（勇気ある！）小学館の皆さん、そして今、どこかにいる誰かに。

ありがとう。

私の尻尾は今、あんまり振りすぎて、どこかに飛んでいきそうです。

西　加奈子

西加奈子（にし・かなこ）
77年５月、イラン・テヘラン市生まれの大阪育ち。関西大学法学部卒業。
04年『あおい』でデビュー。本作が２作目となる。

編集　石川和男

さくら

２００５年３月20日初版第一刷発行
２００５年７月20日　第六刷発行

著　者　西加奈子
発行者　佐藤正治
発行所　株式会社小学館
〒１０１-８００１　東京都千代田区一ツ橋２-３-１
編集　０３-３２３０-５７２０
販売　０３-５２８１-３５５５
振替　００１８０-１-２００
ＤＴＰ　株式会社昭和ブライト
印刷所　文唱堂印刷株式会社
製本所　株式会社難波製本

ISBN 4-09-386147-1